COLECCIÓN POPULAR

798

LA ÚLTIMA LECTORA

RAQUEL ROBLES

LA ÚLTIMA
LECTORA

FONDO DE CULTURA ECONÓMICA

Primera edición FCE México, 2020
Primera edición FCE Argentina, 2020

Robles, Raquel
   La última lectora / Raquel Robles. - 1a ed. - Ciudad Autónoma
   de Buenos Aires : Fondo de Cultura Económica, 2020.
   125 p. ; 17 x 11 cm. - (Popular)

   ISBN 978-987-719-167-7

   1. Narrativa Argentina. 2. Literatura Argentina. I. Título.

CDD A863

Distribución mundial en español

Diseño de portada: Teresa Guzmán Romero

D.R. © 2020, Fondo de Cultura Económica de Argentina, S.A.
Humboldt 2355, 2º piso; C1425FUE Buenos Aires, Argentina
fondo@fce.com.ar / www.fce.com.ar
Carretera Picacho Ajusco 227; 14738 México D. F.

ISBN México 978-607-16-6891-2
ISBN Argentina 978-987-719-167-7

Comentarios y sugerencias: editorial@fce.com.ar

IMPRESO EN ARGENTINA • *PRINTED IN ARGENTINA*
Hecho el depósito que marca la ley 11723

Entonces comprendí lo que ya sabía: lo que podemos imaginar siempre existe, en otra escala, en otro tiempo, nítido y lejano, igual que en un sueño.

Ricardo Piglia,
El último lector

ÍNDICE

I

Fuimos abrazados a la angustia de un presagio
por la noche de un camino sin salidas,
pálidos despojos de un naufragio
sacudidos por las olas del amor y de la vida.

HOMERO MANZI

LA MUJER sale a la calle. Ha traspuesto la puerta como si de adentro la hubieran empujado. Es de noche. ¿Qué hora es? El tiempo se ha convertido en un ahogo. Sale a la calle. Ha estado conteniendo la respiración desde la mañana. El aire está lleno de la humedad que preanuncia el verano. Por un momento, el día se vacía de su memoria y no ha pasado nada.

No es nadie y no ha pasado nada. Es sólo una mujer que tal vez se ha vuelto loca. Tal vez, incluso, es una mujer que no ha perdido la memoria sino que nunca ha vivido nada memorable. Se deja caer en el cordón de la vereda. Hubiera jurado que la calle era de adoquines. Quizá porque una vez vio a una señora a la que se le rompía el taco del zapato. No corría ni se había doblado el tobillo. Simplemente el tacón se le separó de la suela y entonces su mente enderezó el absurdo imaginando una calle con adoquines, llena de junturas donde un taco puede quedarse enganchado y romperse.

No quiere cerrar los ojos. Siente que la amnesia está cediendo. Su cuerpo se tensa. No quiere habitar su vida, no quiere saber su nombre ni su ocupación, ni qué es la

11

mole que ocupa una manzana que está a sus espaldas. Tampoco quiere reconocer la voz que la llama desde la puerta.

De cuántas maneras distintas puede sonar un nombre. Hace apenas unas horas —aunque qué es una hora, qué medida es un día, cuánto dura un minuto—, esa voz la nombraba en susurros y era como una cinta de seda que la envolvía deslizándose desde el caracol de su oreja hasta los pies que siempre le han dado tanta vergüenza. Él la llama otra vez. Una voz con las rodillas peladas. Es una palabra que lo mismo podría ser su nombre o una carta en la que él expone las razones por las cuales debería darse vuelta, mirarlo a los ojos, reconocerlo, dejarse consolar y envolverse en la promesa de un sufrimiento protegido por el amor. Pero ella no se vuelve.

Se pone de pie y abraza la cartera que recién ahora se da cuenta de que ha traído. Mira los edificios de monoblocks de enfrente. Cuenta. Veinticinco ventanas iluminadas. En veinticinco casas la vida sigue como si no hubiera pasado nada. En el resto, madres, padres, niños, amantes, hombres solos, mujeres tristes o alegres, duermen sin el peso de ninguna preocupación. A treinta metros ha muerto un niño de quince años y nadie se siente responsable. No se dan cuenta. El día ha terminado. Un domingo cualquiera se lleva sus aburrimientos y sus oportunidades y nadie ha percibido ningún cambio. La tierra se ha partido, una fosa inmensa ha roto el tiempo para siempre y la raza humana duerme o demora el descanso, inmutable. Pero a partir de ahora vamos a empezar a contar desde cero. Salgo un momento. Vuelvo enseguida, le dice a esa voz que le toca la espalda y la violenta en su entrega, en su credulidad, en su esperanza. Él tampoco se ha enterado todavía de que los muertos matan.

La mujer camina con paso firme. No sabe adónde va pero no vacila. Talón, punta, talón, punta. La cartera acurrucada en su pecho como un niño con frío. La calle baja hacia una avenida. Las casas se yerguen a cada lado. El silencio termina allá abajo. Los colectivos y los autos se engolosinan con la onda verde. Le molesta tener que saltar cada vez que termina una cuadra. Preferiría que fuera un camino sin tantas imperfecciones. Todo derecho. No detenerse.

Las veredas cambian de color y de forma. La mujer camina tan rápido que los colores se mezclan. Los baldosones lisos, las baldosas cuadradas, amarillas con sus listones redondeados, los pedazos de cemento. Todos pasan corriendo bajo los pies de la mujer. En algunas casas se enciende una luz automática cuando ella pasa por el frente. En otras se oyen todavía rezagos de la cena. Televisiones, hilachas de palabras, perros en los patios.

Se le ocurre pensar qué pasaría si caminara todo derecho hasta que se terminara el mundo. Volvería al mismo punto, pero pasarían años. ¿Quién se quedaría con la Dirección? En la última reunión de equipo alguien había hecho la pregunta. Nunca hasta ese momento habían pensado en eso. Pero mientras hacían un alto en las discusiones sobre cómo seguir y se repartían el pan y la comida, alguien había dicho en voz alta: ¿vas a reinar para siempre?

En la avenida la detiene el semáforo. No puede esperar. Mira hacia un lado, hacia el otro, y en el breve resquicio que le deja el flujo del tránsito, corre como si cruzar al otro lado pudiera salvarle la vida. Las bocinas le golpean el cuerpo.

No se ha encontrado con nadie en todo el camino. Tal vez sea muy tarde. Si esta noche no duerme, y dormir es todos los animales del bosque babeando a la espera de romperle la carne a mordiscones, ésta será la tercera noche en vela. La primera estuvo despierta anticipando y rechazando la segunda; la segunda enamorándose y esta noche habrá que caminar hasta gastarla.

¿Vas a reinar para siempre? La mujer piensa que tal vez hubiera debido reírse, pero siempre está tan seria, tan augusta, tan digna. Las miradas atentas o curiosas, incluso algunos ceños preocupados, le hicieron ver que era una pregunta importante, incluso un tema que seguramente habían hablado entre ellos muchas veces. Acá no hay reyes ni siervos. En todo caso somos todos soldados. Esta guerra no es para tibios. El enemigo ataca con armas que no hacen estruendo. La desidia, por ejemplo. El desinterés, la negligencia. Estaban reunidos en la cocina. La mujer había hecho preparar una comida especial ese día. La reunión iba a ser larga y tal vez difícil. Habían empezado cuando caía la tarde y ya los chicos estaban durmiendo en sus habitaciones. La mujer incluso había consentido en que compraran una botella de vino. Hagamos un brindis. Por todos los que piensan que están preparados para conducir este barco. Gracias a ellos yo voy a poder retirarme a gobernar el patio de mi casa y mi escritorio.

Un perro sale de la nada y amenaza con morderle un tobillo, pero se aleja como si se hubiera confundido. Qué lástima. Un regusto ácido le sube por la boca. La memoria es el Gólem. Con ojos muertos, sin hablar más que por boca de otros, repitiendo mecánicamente lo que ha visto, sin comprender apenas por qué en este momento y no en otro, por qué hacer este gesto, por qué esconderse o exhibirse. Ojalá pudiera borrarle de la frente una letra y así matarlo de todas las muertes. Pero la memoria

14

es el Gólem. No comprende, es mudo y, sin embargo, no se calla.

Voy a andar todo el día descalza y me voy a dedicar a escribir. La mujer había intentado reírse, distender un silencio que se había vuelto demasiado espeso. Le pareció que el hombre podía ayudarla a salir de ese momento difícil. Lo había mirado y había creído ver en sus ojos un salvoconducto. Menos usted, usted también tiene que escribir, así que se viene conmigo. La mujer se toca las mejillas con las manos cruzadas sobre la cara, sin soltar la cartera, volviendo a sentir el rubor que la abrasa desde las costillas hasta los párpados.

Si al menos no lo hubiera tratado de usted, si no lo hubiera mirado de ese modo, si no hubiera intentado ocultar la vergüenza con una sonrisa desafiante. Tal vez sin ese primer pie el camino nunca se habría extendido ante ellos. Ahora estarían a salvo de querer salvarse. Pero no.

Él era el profesor de literatura y ella apenas escribía. ¿Por qué era la mujer quien corregía los domingos los textos que el hombre le mandaba? Ella no lo sabe. Del mismo modo en que acordaron sin palabras no tutearse, llamarse por el apellido y no hablar de esos intercambios epistolares en el trabajo, quedó establecido que ella oficiaría de maestra y él de aprendiz. Cambiar el orden y el código era cambiarlo todo.

La mujer había intentado salir de un terreno escarpado y se había metido en uno peor. Más oscuro, más peligroso. Tal vez fuera el vino, quizás que alguien había calentado el pan en el horno y ya no era el pan gomoso del mediodía, sino una masa esponjosa envuelta en una costra crocante que daban ganas a la vez de comérselo todo y de compartirlo. O también podía ser simplemente que el esfuerzo que habían hecho todos durante ese tiempo los hacía verse hermosos. Por alguna de esas razones o por cualquier otra, la mujer sintió de pronto que los amaba. A cada uno por lo suyo, pero sobre todo al grupo, al equipo. Ojalá puedan quererse como yo los quiero a ellos. Ojalá que más que quererse los unos a los otros, todos amen lo mismo.

La tensión se había roto. El sonido de las conversaciones simultáneas, los chistes, las risas, los cubiertos rascando en los platos los restos de comida. La mujer se aturde en el silencio de la noche. De pronto se acuerda de su plato. Lo había dejado intacto antes de hablar. Cuando quiso volver a él para dar por cerrada esa conversación, lo había encontrado en manos de la Rubia. No era rubia la Rubia, pero le decían así porque venía de otro mundo. No sabían mucho de ella pero podía intuirse una familia con mucho dinero y casa en un barrio privado. Era poco querida, pero la mujer siempre la defendía. Acá no sobra nadie. Pero viéndola comer de su plato, sin reír, sin participar de las conversaciones, escuchando todo en un silencio reconcentrado, pensó que tal vez no les faltara razón para desconfiar de ella. Había sido la primera en besarla esa mañana. La había sostenido como si la mujer quisiera caerse, aunque nunca había estado más tiesa.

Una ligustrina espesa le raspa el costado. La mujer se sobresalta pero no se detiene. Adelante hay otra avenida, pero por ahí no pasa casi nadie. Un auto cada tanto. Un colectivo celeste de una línea que no conoce sin pasajeros en las ventanas. En el bulevar que la atraviesa hay un poco de pasto seco pero ningún árbol. El viento se ensaña con unas bolsas de plástico. Las veredas se vuelven anchas.

16

La noche no cede. En esa parte del mundo la oscuridad cae aplastándolo todo. Ya no hay luces o están rotas a pedradas. Una leve inquietud se cuela en su ánimo. Tal vez debería volver. La están esperando. Todavía hay mucho que hacer. La muerte también necesita trabajo. Recuperar el cuerpo, seguir buscando familiares, organizar el velatorio, consolar a los chicos, sostener a los adultos. Pero no puede darse vuelta. Una mano blanda pero invulnerable la empuja hacia adelante. Hacia la noche, hacia la oscuridad. Los dientes del lobo llenos de caries en una boca inundada por el deseo. Cómo negarse.

Las casas se amontonan atrás. A los lados ya no vive nadie. Escuelas o quizá fábricas o galpones o también cuarteles. Nada se opone al viento. El verano trae el frío en el que se ha estado incubando estos meses. La mujer tiene el pelo muy largo. Una aureola de lianas amarillas le golpea la cara de un lado, después del otro y después le dejan la cara limpia para enfrentar la oscuridad. Una y otra vez.

Parece una alucinación, pero adelante, en la vereda de enfrente, se ve un letrero luminoso. Lucecitas que dan vueltas alrededor de la palabra kiosco, como si se anunciara un espectáculo. La mujer siente la boca seca. Le parece que si la abriera para pedir algo se le caería un cuarto de arena. No le importa. Quiere algo. No sabe qué. A lo mejor sólo quiere comprobar que el mundo humano sigue en su cínica insistencia de pronunciar palabras triviales a pesar del cielo abierto en dos, de la tierra convulsionada, de las piedras partidas, de las tumbas desalojadas.

El kiosco es apenas una ventana con rejas y un timbre. Con una mano se aplasta el pelo y con la otra presiona el pezón blanco y duro, escuchando cómo adentro

17

suena una chicharra, un perro que le responde y una voz que se despabila. Ya va, ya va. Se abre una hoja de la ventana y se asoma una cara que no sabe de gestos de sorpresa. Qué va a llevar. Señora, qué va a llevar. ¿Le pasa algo, señora?

La mujer mira la caramelera. El precario circo romano de las golosinas. ¿Algo dulce? No. ¿Pañuelos? Hasta ahora no ha llorado y no quiere llorar. ¿Papas fritas? La sal le remite vagamente al desierto, pero no, tampoco. Cigarrillos. Quiero cigarrillos. ¿Qué marca, señora? Podría pedir los que conoce. Pero no. De repente sabe que quiere los cigarrillos que fuma el hombre. Marlboro Box. Y un encendedor.

¿Cuánto habrá sufrido el hombre las horas sin fumar? Porque ella sabe que él es un adicto grave. Lo ha visto fumar a las seis de la mañana cuando el trabajo los requirió temprano. Lo ha visto salir de una reunión delicada para irse a fumar un cigarrillo. Pero en la noche que acaban de compartir, después de una tarde larga de mate y cigarrillos, de conversaciones tensas, de lecturas regaladas el uno al otro, cuando finalmente se fueron a la cama, él no se separó de ella para fumar ni una sola vez.

La mujer busca en la cartera el dinero para pagar. No sabe cuánto salen los cigarrillos. Le da vergüenza que el señor se dé cuenta, así que le da un billete grande. ¿No tiene cambio, señora? La mujer niega con la cabeza y guarda los cigarrillos y el encendedor antes de que pueda arrepentirse. El kiosquero busca el cambio de mala gana. Ella lo toma sin mirar y lo tira adentro de la cartera. Vuelve a su caminata desaforada. Como si estuviera llegando irremediablemente tarde. Como si todavía pudiera llegar a tiempo donde ya llegó irremediablemente tarde.

La calle se angosta y de pronto se abre. Como si fuera un arroyo que desemboca en un pequeño oasis, una plaza triangular se le interpone. Por dónde seguir. La demora, la decisión pequeña que se vuelve acuciante. No sabe qué hacer. Se sienta. No hubiera querido, se da cuenta de que tenía la fantasía de caminar hasta desmayarse o limarse los pies o dar la vuelta al mundo. Hay cuatro mesas de ajedrez con el tablero muy gastado, pintado de marrón y amarillo. Apoya el codo donde hubieran estado la torre y su peón. Qué bien que compró cigarrillos. Saca el atado, apoya el encendedor sobre la mesa y empieza a tirar lentamente de la tirita para sacarle el plástico. Le abre la tapa y saca el papel plateado. Sólo el de adelante. La coreografía del fumador se baila sola. Como una oración aprendida de niños que se recita de memoria con sólo juntar las dos manos y alzar la cabeza al cielo. Hace quince años que no fuma. Lo dejó porque el médico le encontró los pulmones muy manchados y ella quería vivir. Quería vivir muchos años. Había tanto que hacer. Pone el atado boca abajo y le da dos golpecitos secos. Formando una pirámide perfecta se ofrecen los cigarrillos. Agarra el que está más afuera. Lo huele. Un perfume muy antiguo profana tumbas de recuerdos. Está a punto de encenderlo cuando siente la vibración del teléfono. Lo deja agotarse en la cartera. Ahora va a sonar el otro. La están buscando. Seguramente es él. El cigarrillo se convierte en hebras de tabaco y papel roto en el centro de su mano. Saca otro sin ceremonia. Lo enciende. Una danza de cuatro pasos. Aspirar, meter el humo lo más profundo que se pueda, tragar y exhalar. La brasa se anima y se aquieta casi sin pausa. No es como lo recuerda. No hay satisfacción, no hay asco, no hay nada. Igual lo fuma con paciencia. Enciende otro. Siente el ardor en el fondo del paladar. Un leve mareo le devuelve por un momento el cuerpo que había entregado a la inconsciencia. Si lograra dormir mañana sentiría la resaca en la nuca. Un despertar espeso, con sabor a tóxico. La garganta estaría tal vez llagada, un fuego quedo pero inextinguible. Las uñas de los dedos índice y mayor de la mano derecha ya tendrían un tono amarillento. En el vapor de su aliento crecerían los gusanos que nunca mueren. Pero no hay temor de que eso suceda. Dormir, descansar, reposar, tumbarse. Utopías que ni siquiera valen una prédica.

La cartera de la mujer vuelve a vibrar. Primero un teléfono, después el otro y otra vez el primero. Llamadas, mensajes, más llamadas. El tercer cigarrillo y ahora sí. No ha conseguido satisfacción, pero al menos obtuvo el asco.

Un ruido de botella contra el asfalto llama la atención de la mujer, que ahora levanta la cabeza y se enfrenta con una imagen que no sabe si siempre estuvo ahí o es una aparición. En uno de los vértices del triángulo, cruzando la calle, unos chicos toman cerveza. Están juntos pero no parecen amigos. Recogidos en el interés común de la cerveza, se la van pasando con apremio. No la miran, pero la mujer sabe que todo lo hacen para ella. Las voces que golpean el silencio inútilmente, los empujones, los remedos de peleas y el acuerdo callado de atacarla cuando terminen la botella. El cigarrillo se moja entre sus dedos y se achata en el lugar donde la mujer lo sostiene. La cartera se encoge como un animal asustado. Quisiera mirar hacia un lado y hacia otro, ver si alguien es testigo de lo que todavía no ha sucedido, pero ya está marcado en su reloj. La mujer siente el miedo a rasgar las vestiduras del tiempo. De un lado queda ella, fumando, sentada en un banco individual de cemento, con el codo apoyado en un tablero de ajedrez. Del otro lado se ve morir y no se resigna. Le parece que todavía no es su hora. A menos que fuera rápido y seco. Entonces la muerte podría ser como estar dormida sin pensamientos, sin sueños. Dormir para siempre. Está aturdida, un sonido agudo, como si se hubiera quedado sorda después de un estruendo, le zumba en los oídos. Vos los tratás como si fueran unos niños traviesos y lo que no entendés es que si estos mierdas te ven en la calle te matan. ¿O vos te pensás que porque fuiste buena con ellos te van a perdonar la vida? En medio de ese ruido como de graznido de zopilote, como si fuera el pájaro mismo que vuela detrás de su chillido, las voces de los enemigos, de los incrédulos, de los especuladores, le llegan como piedras. A nadie le importa estar libre de pecado. Tiran la primera, la segunda y también la tercera; todas las piedras que hagan falta hasta lapidar a cualquiera que pretenda hacer algo. Pero en la institución la mujer no tenía miedo. Los veía llegar, así, vestidos con las mismas ropas que llevan ahora, con sus zapatillas vistosas, con sus equipos de gimnasia, a veces con sus gorritas, y esa actitud de valor en la desgracia, y ella no les tenía miedo. Nunca pensaba en qué pasaría en la calle, nunca pensaba en ninguna otra cosa que no fuera estar adentro. Que le dijeran que no eran niños. No, no eran niños ya, pero por qué no devolver algo de infancia a quien nunca jugó a nada. Que le dijeran lo que quisieran, que hablaran hasta saciarse. Acá todos somos niños, porque hay que enfrentarse a este mundo con inocencia, con sorpresa, con candor inclusive. Sólo así podremos salvarnos, ellos y nosotros, de seguir hundiéndonos en el infierno. Pero ahora se acercan. Caminan en prolija formación, como si fueran a detenerla, a llevársela presa. Sin apuro, con firmeza. Con decisión. Y entonces tiene miedo. El piso de la plaza también es de cemento. Unos pastos se cuelan en las junturas de las baldosas. Verdes, con la vitalidad de estar ahí sin haber sido plantados por nadie. El cigarrillo se parte en dos y quema unos brotes. El silencio de la noche, el pitido en los oídos, las voces de los enemigos, todo se hace añicos con el estallido de la botella en el cordón de la vereda. El cuerpo de la mujer se estremece en un temblor convulso y retenido. La cartera se ahoga entre sus brazos. Se golpea el codo contra la mesa y una corriente de electricidad le llega hasta la cabeza. El cemento gris del piso se vuelve casi blanco por un instante, blanco con hilos dorados. Si al menos dejara de temblar. Si pudiera encontrar a aquella que sabe cómo manejar estas situaciones. Cuántas veces apagó un fuego, hizo ver a los enceguecidos, escuchar a los enajenados, sólo con palabras, sólo con ofrecer su cuerpo sin miedo, convirtiendo el peligro en juegos o aventuras. Pero no puede.

El magro ejército se forma en un triángulo cuyo vértice está detrás de la mujer. Levantate, vieja, si gritás te corto. La mujer siente el frío del vidrio en el cuello. El calor de ese abrazo enemigo. Los otros dos se ríen. Son risas tontas, de adolescentes alcoholizados, de nervios que ya no excitan. La mujer no se mueve. No es decisión ni valentía; su cuerpo ya no le responde. El chico la levanta y con cierta torpeza superan el banco de cemento, la mesa con su tablero de ajedrez, los baldosones grises, los pastos ralos, el domingo de trámites funerarios y judiciales, la noche con el hombre, todas las noches anteriores fallidas o solitarias, los días peregrinos de palabras y semillas, las dudas vocacionales, el acné y la vergüenza frente a los espejos, los zapatitos marrones con medias de lana, las bombachas de goma, los pañales de tela, las leches maternas, la placidez de respirar sin pulmones, el dedo de Dios dividiendo células al infinito, el amor de sus padres en una cama de provincia. Es una muñeca de trapo rellena de estopa. Pesada, sin articulaciones, con las piernas abiertas y la cabeza caída. Tal vez ya esté muerta. Pero no, nada es tan fácil. Si tuviera músculos para resistirse quizás podría evitar el corte en la garganta, la sangre caliente abierta en dos corriendo por el cuello, las babas, el ahogo. Si tuviera poder sobre su mente podría incluso evitar imaginarse la muerte en cada golpe que se da contra las imperfecciones del piso y la brutalidad de su captor. Entre los tres la llevan a empellones, a una velocidad que no tiene sentido. El piso ahora es de barro. Ella va dejando dos surcos con los talones y tiene un pensamiento absurdo: si los chicos fueran bueyes y ella fuera el arado, se podrían sembrar muchas semillas en esos surcos. Pero ellos no son bueyes. Son promesas que no saben qué prometen. Le gustaría no ser indulgente, pero ni aun arrastrada hacia la violencia puede dejar de sentir que si tuvieran la oportunidad, si supieran el daño que hacen, si alguien los hubiera amado, si alguien los amara ahora mismo, si pudieran creer en un futuro, si tuvieran futuro, si ella hubiera hecho suficiente.

No han caminado mucho, apenas unos metros, pero están en otro mundo. Si abriera las piernas en toda su extensión podría tocar las casas que están enfrentadas. Los ruidos se invaden entre sí, las televisiones, las músicas, los gritos, los llantos. Las ventanas están abiertas o son simplemente huecos en unas paredes endebles. Una señora sostiene un vaso en la mano y mira a la mujer con pena, como se mira a un animal que ha sido aplastado por un camión, por el que ya nada puede hacerse. Otros chicos en un rincón saludan a los captores de la mujer. La extraña comitiva se detiene un momento a intercambiar algunas palabras, palabrotas, risotadas. Nadie dice nada sobre la mujer que está casi ahogada por el abrazo de vidrio. Como si fuera un trabajo, un oficio, una ocupación apenas más interesante que la de vendedor ambulante. ¿Ha caminado tanto la mujer? ¿Cómo pudo haber ignorado este territorio durante tanto tiempo? Algunos olores se juntan con sus ruidos —el aceite con su estallar de burbujas y el olor a frito del pan rallado, las arcadas contra una pared y la fetidez del vómito—, pero otros parecen anticipar lo que todavía no se escucha ni se ve. ¿Qué se quema, dónde está el humo que huele a gomas, a leña, a metal? ¿Dónde están las cloacas que hieden todas al mismo tiempo? ¿Por qué huele sus orines si no escucha el sonido de agua cayendo a medida que avanzan? La cabeza de la mujer ha caído hacia atrás. Su escolta se ha estrechado en torno a ella y apoya su cabeza no sabe dónde. Una luna enorme la sigue impávida. Por favor, que sea sin dolor. O que no viva para recordar la impudicia de esta cobardía.

¿Para qué la queremos? Sacale la cartera y ya está. Los chicos discuten con ella en brazos de uno, como si fuera un fardo de trigo recién atado que no se quiere dejar en el piso. ¿Qué pasa, gil? ¿No tenés ganas de ponerla? El miedo es como el dolor. Se van pasando umbrales que parecían limitar con la nada, y sin embargo hay más. La entrepierna se contrae en un espasmo de terror. Las rodillas se encogen por la fuerza abdominal. Nadie lo nota. La sacuden para un lado y para el otro. Ya no es una muñeca de trapo. Es un trapo que no saben si descartar o usar para enjuagarse las mieles del odio. Desde los tobillos de la mujer van subiendo siglos de silencio, de comer de pie mientras el marido sacia su hambre, de esperar que le pregunten para responder, de bajar la mirada, de caminar cinco pasos detrás de los varones, de fregar, cocinar, ordenar y estar presentable para la hora de la cena, de levantarse la túnica y dejar caer la cabeza mientras él la llena de su simiente, de morir lapidada por haber amado a otro, de lastimarse los pies con abrojos para ir a buscar la siembra, de manos percutidas de moler semillas, de ser botín de todas las guerras, de casarse con cualquiera que el padre decida, de ser culpable de parir hijos muertos. De los tobillos alzados del piso, de los pies que se yerguen en una ele contraída por el pánico le suben azotes de certezas. Es una vieja, déjala. Discuten entre dos. Uno la retiene en su abrazo de dueño, el otro le tironea de la cintura para que puedan ir a ocuparse de otros asuntos. Tan vieja no es y culo todavía tiene. El dueño le da vuelta en una cabriola brutal. La toca, la exhibe, sopesa la calidad de sus carnes. Como si fuera un animal. Como si fuera una esclava en la plaza de ventas. Ojalá fuera un hombre. Tendría fuerza para deshacerse de la presa, para molerlos a palos o morir en la dignidad de una pelea. Sufriría, le dolería, pero no tendría esta humillación adicional. A un tiro de piedra de la discusión, el tercero calla. Da pequeños saltitos como si hiciera frío. Observa la escena a veces divertido, a veces impaciente. Por momentos parece darle lo mismo cómo se resuelva, mientras lo hagan rápido. No entiende por qué la mujer sigue con la cartera entre los brazos agarrotados, por qué todavía no le han sacado la plata. ¿Te hiciste pis, mugrienta? ¿Te das cuenta de que sos un asco? Yo no me dejo ni atar los cordones de las zapatillas por vos, puta. El tercero, el callado, el aburrido, le arranca la cartera y es como si le hubiera sacado la cabellera de un solo tirón. La mujer, que apenas ha gemido mientras la sacudían, que ha enmudecido mientras la manoseaban, de pronto aúlla. Es un grito de dromedario. Desconocido, un grito que la mujer nunca había proferido, un grito que ninguno había escuchado antes. Un grito capaz de levantar en remolino las almas pesadas de pecados capitales. ¿Qué te pasa, vieja? ¿Qué tenés en la cartera? La empuja y la mujer cae raspándose el costado izquierdo del cuerpo. Se olvidan un momento de ella. Se dedican con prolijidad de mercader a contabilizar los elementos que van cayendo en el piso de tierra. No hay tanto dinero como esperaban. El que la había arrastrado con el vidrio en la garganta le da un carterazo. Parece una señora ofendida. Los otros dos analizan los enseres de la mujer. Porquerías. Papeles. Años de papelitos doblados y perdidos. Dos teléfonos celulares no muy modernos pero que desaparecen en los bolsillos. Un atado de cigarrillos que también desaparece en manos de un prestidigitador. Los billetes dispersos se ordenan en un montoncito al costado. Documentos, un carnet de conducir vencido, una credencial para entrar a un acto de hace más de un año, todo vuela. Mariposas plastificadas que reverberan un instante en la noche. Un oficio judicial viejo, un delineador de ojos, un lápiz labial, llaves, muchas llaves. Y un libro. Dame la plata, gato, que voy a comprar. El que ha estado callado, habla. Habla sacudiendo el cuerpo, mirando a los lados, como si estuviera lleno de ladrones, o como si lo que van a comprar estuviera a punto de acabarse. Esa voz. La mujer lo reconoce de inmediato. Lo mira desde el piso. La perspectiva la confunde pero, como si un ángel le hubiera susurrado al oído, se da cuenta de que sabe su nombre. Querido. Vos me conocés a mí. Cuando hay que callar, lo mejor es callar. La mujer lo sabe. No pretende impostar un coraje que no siente. Son los espíritus que la poseen. Ya no habla ella, ahora las voces del calvario que la arrastran hacia la muerte le dictan las palabras. Yo no te conozco, vieja. Los espíritus que poseen a la mujer insisten: sí, vos me conocés. La última Navidad la pasamos juntos. Me dijiste que no creías en Papá Noel, pero igual hiciste la carta. Le pediste una caja de chocolate blanco. Te trajo dos. Los otros se ríen. Lloran de la risa. Papá Noel le trajo un regalito al gato este. ¿Bajó por la chimenea? ¿Te lo dejó en el arbolito? ¿Por qué no pediste una 22, puto? El chico parece un molino sacudido por vientos que vienen de muchos lados. Yo no la conozco a esta hija de puta. La mujer siente el empeine del chico en el hombro. Rabia, odio, frustraciones viejas. Las patadas caen como piedras caídas de un monte. Pero a la mujer le duele sólo el hombro. Como si no se repusiera de la sorpresa de ese primer golpe. Yo no te conozco vieja conchuda. Suena una sirena a lo lejos. Demasiado lejos. Tal vez una ambulancia, un patrullero, o se esté incendiando todo, la ciudad entera. El chico le pega y llora. La mujer se mueve un poco para proteger los órganos. Rueda unos centímetros con cada patada. El libro está casi al alcance de la mano. No llores, rancho, no pasa nada. Dale, vamos a comprar. Lo que pasa es que estás manija. Los tres se alejan como si la idea de comprar les hubiera hecho olvidar definitivamente a la mujer. En el medio, cobijado por sus dos amigos circunstanciales, el que lloraba ahora vuelve a sus saltitos. Los pantalones azules se opacan en las botamangas embarradas. Las zapatillas hacen rechinar su goma mojada. La mujer está a punto de cerrar los ojos. Siente el peso de los párpados. Las puertas de una mazmorra que cae. Una culpa que cede bajo el hacha del verdugo. Un movimiento lastimoso para sentir la esquina del libro que se clava en la palma de la mano. La fuerza de toda la humanidad para recoger la mano y el libro en el centro de su cuerpo. Un capullo sanguinolento anidando su gusano de papel.

La mujer recupera la conciencia. No sabe si han pasado tres días, unas horas o segundos. Todas las partes de su cuerpo laten y en cada latido la piel se le estira un poco más. Entiende de pronto que el sonido de madera lijada es el aire que entra en su nariz haciendo un camino difícil. Tal vez esté rota, o quizás esté respirando también sangre o mocos o barro. Los pensamientos bombean su cerebro al ritmo de la sangre que empuja sus tejidos cada vez más hinchados. Se acuerda de una película o tal vez fuera un libro, en el que un matón amenaza a una prostituta con pegarle con una bolsa de naranjas. No dejan moretones, pero rompen todo por dentro. La mujer se imagina órganos fisurados como odres que ya no retienen los líquidos. Pero también la acomete una alegría blanda, absurda, ridícula, fuera de lugar: no ha sido mancillada. El hombre que de seguro estará esperándola aún en la institución todavía es el último que ha entrado en su cuerpo. Le parece bien esa idea. El último. Sólo el que tiene mucho puede perder mucho. La mujer siente que lo ha tenido todo. Un poder de ungida se apodera de su cuerpo malherido. Puede perderlo todo porque lo tiene. El amor, el placer, la muerte. Quizás ninguna mujer antes o después haya tenido o tenga lo que ella podría perder con sólo abrir la mano.

Dejarse ir o llamar de algún modo la atención de los chicos que no andarán tan lejos. Vengan, terminen lo que empezaron. Vamos, ¿no se animan?, ¿nunca han matado a nadie? Vení, querido, hacete hombre, clavame el vidrio acá. Un tajo limpio, no seas torpe. Dale, vos también. Coman y beban. Muerdan. Mi cuerpo es un templo que quiere ser profanado hasta volver a su condición de primera piedra. Pero nadie viene. Nadie escucha una voz que ni siquiera logra conmover sus labios partidos.

Abre un ojo. El otro parece pegado. Un largo muro donde se apoyan lamentos que antes fueron cuerpos, que antes de eso fueron niños y antes tal vez esperanza o fastidio. Muchos fuman, otros parecen ya no ser de este mundo. Hace apenas un día todos estos niños hubieran sido suyos. Pero ahora la mujer siente un ardoroso deseo de sembrar huérfanos. Dios los ha apartado de su mano. Antes del amanecer había pecado copiosamente de soberbia creyendo corregir la posición de los dedos que se habían abierto demasiado, dejando caer a los que debían estar sentados a su diestra. Pero ahora su voz le parece más pequeña que un grano de mostaza. Quisiera sentirse humilde, pero su cuerpo es una alforja que guarda una tristeza de muerte. No es humildad, es vergüenza.

La mujer se despierta. Tal vez se ha quedado dormida o se ha desmayado. Alguien, a su izquierda, se afana con su cadenita. Si pudiera le avisaría que es un trabajo inútil, que no vale nada, un regalito comprado en una casa de suvenires de playa. Pero no puede. Los dedos del chico son lijas, pero él no es un ebanista, apenas un aprendiz de carpintero. Raspa y raspa la nuca hasta sangrarla. El pequeño ladrón pierde la paciencia y doblega la cadenita de un tirón. La mujer cierra un momento los ojos. Un olor la despabila. Sentada a su derecha hay una chica. Tiene doce años envejecidos o tal vez tenga veinte que nunca crecieron. Las lágrimas llegan de repente. Ese olor. El mismo olor de muchos, pero sólo a uno ella abrazaba atravesando el asco. Y ahora te fuiste ahí donde nadie te puede acompañar. Chiquito. Por qué no me esperaste. Si ahora volvieras me ataría una toalla a la cintura y te lavaría los pies hasta sacarte ese olor a habitación de madera, a medias sucias, sudor varias veces seco, a pis, a humo de autos, a pelo grasiento, a sangre coagulada, a vómitos, a pegamento, a colchón en la plaza, a peleas por el lugar en la parada de taxis, a comisarías y golpes rituales, a madre que no abre la puerta, a vidrios de auto que estallan de una pedrada, a miradas de desprecio, a monedas manoseadas, a frío sin frazadas, a vino en caja de cartón, a sueño en estado de alerta, a tristeza adormecida con lo que sea. Pero no vas a volver. La chica busca en el pasto con sus dedos sin yemas los restos de su cartera despanzurrada. Le interesa el pintalabios. Toma y descarta todas las credenciales. Hace bollos con los papeles. Las llaves pesan en sus manitas de nada. Ramas de una higuera raquítica que no da sombra ni frutos hacen sonar el manojo de llaves como si fuera divertido, como si de repente su memoria le devolviera algún pasado de sonajero. A tu hogar no pueden entrar chicas, ¿no? De la mugre esencial surge una voz de niña traviesa. Yo sí te conozco a vos. Vos sos la directora. Te vi en la visita. Cuando te despiertes, ¿puedo ir con vos? Un ruido de metal cae en la tierra. Casi con delicadeza le saca las zapatillas. El ladrón de la cadenita también las quiere. Esa mañana la mujer no pensaba ir a la institución. De otro modo nunca hubiera calzado zapatillas. Era domingo, acababa de levantarse

30

de la cama del hombre. Todavía tenía en sus manos el perfume de la noche: mate, sexo, whisky, mandarinas. Después sonó el teléfono y no quedó piedra sobre piedra. Se puso las zapatillas entendiendo en ese gesto que tendría que aprender todo de nuevo: cómo se mete un pie, cómo se atan los cordones, cómo se levanta uno cuando la tierra se mueve como una serpiente. Después tuvo que sacárselas porque se las había puesto antes que el pantalón. La chica propone un sorteo. Los labios hinchados y partidos de la mujer se mueven apenas. Ojalá que ganes, chiquita.

Desde muy atrás, como si ella estuviera en una caverna sellada y alguien gritara del otro lado de la piedra, escucha órdenes, retos, protestas. A medida que se acerca el sonido va produciendo estampidas de niños, muecas que quisieran expresar el deseo de correr y catatonia. La mujer siente que le gritan en la espalda. Después un silencio. La miran, la evalúan. Querida, tratá de no morirte. Aguantá un poquito. Unas manos fuertes, grandes, la levantan de las axilas hasta sentarla. Un dolor de estacas clavándose en los brazos y en los pies. Se sorprende a sí misma con una vitalidad que no sabía que le quedaba defendiendo su libro. Vas a necesitar las manos para agarrarte de mí, después te lo doy. Pero la mujer no cede. Quiere volver a su pedazo de tierra, quiere que le sigan sacando sus cosas, que la chica se vista con su ropa, que desfile frente al chico como si fuera un espejo, que se lleve con ella el sonido mudo de cada prenda cayéndose al borde de la cama, el olor a los cigarrillos de él, la mancha verde del mate que se le cayó de las manos cuando atendió el teléfono, las luces de los flashes que guardaron en un expediente las marcas en el cuerpo de

31

su niño muerto. Quedarse ahí hasta que le crezcan plantas. Para qué moverse. Duele tanto moverse. Pero la señora que ha venido espantando bultos no pregunta. Se para a sus espaldas y de un envión la pone de pie. Las dos gritan. La señora por el esfuerzo, la mujer porque las estacas se clavan más adentro. Dale, vamos despacito. No es lejos. Caminan diez pasos. Un perro las sigue moviendo la cola con paciencia. La mujer se desploma de rodillas. No puede. Pesa demasiado. Un arroyuelo de sudor le cae desde la nuca hasta el pantalón. Los ojos le arden. La señora le seca la cara con un pañuelo o tal vez con un repasador y la vuelve a cargar. Su insistencia la fastidia, pero también la conmueve. Siempre la han conmovido los que se cargan sobre sí los males del mundo. Hace un esfuerzo como un homenaje. Otros diez pasos. Tiene sed. El aire le agrieta la garganta. Ya no tiene saliva. La lengua es también un pañuelo o un repasador. Quiere cerrar la boca pero se ahoga. La nariz no le sirve para nada. Quiere decir agua, pero dice madre. Madre, viniste a buscarme. ¿Estoy muerta entonces, o estoy por morirme? ¿Seguís enojada porque me fui de casa? ¿Sabe mi padre que toda la vida quise que se sintiera orgulloso de mí? La señora está agitada. Tira de la mujer con fuerza de loca. Cada paso es un golpe asmático contra la calle de tierra. Diez o doce pasos. De algún lado sale otra señora y otra más de por allá. Un señor llega con un carrito de cargar cajas. Entre todos la acuestan como si fuera una camilla. En silencio la llevan hasta una casa. Por acá, ponela en la silla, que las camas las tengo todas ocupadas. Pequeños ruiditos de sueños infantiles se desprenden de las sábanas. Los que ayudaron se van sin decir nada. La señora se sienta también en una silla. Espera un rato hasta que la respiración vuelve a ser suya. Se agarra la cabeza, llora unas lágrimas por el esfuerzo o por la angustia y pone una pava en la hornalla.

Un día me van a decir, mirá acá tenés a tu hijo, y me lo van a entregar muerto. Yo no sé, si así se trata a la leña verde, qué nos espera a los que ya estamos secos. La mujer escucha y no sabe si es lo primero que dice o cuánto hace que la señora está hablando sola. Una palangana verde arriba de la mesa huele a agua caliente. Las manos grandes de la señora le van sacando terrones de mugre, sangre seca, piedras mínimas. Estás hinchada, pero la nariz no está rota. Te lo dice la esposa de un boxeador. La señora ríe una risa pícara y triste. Le mueve los brazos, las piernas, los pies. Cada movimiento produce un gemido. Como si la mujer fuera una muñeca de lata muy vieja. Me parece que no tenés nada roto, querida. ¡Tenés una cucharita en el bolsillo de la camisa! Bueno, no te pongas así, no te la voy a sacar, es tuya. La mujer quisiera ser amable, decir algo, o no reaccionar como un animal al que se le sacan las espinas del lomo. Pero la señora parece no esperar agradecimiento o conductas humanas. La sacaste muy barata. Estos guachos son capaces de cualquier cosa cuando les falta su droga. Menos mal que te vi, porque después por ahí te matan de aburridos nomás. Muy cerca se escuchan unos pasitos que arrastran ojotas. Después un largo caer de pis en el inodoro. Un balde acarreado con trabajo, el agua que cae, chasquidos de ojotas desandando el camino y unas quejas de niños que ya habían ocupado su lugar en la cama. La señora ha detenido su tarea un momento. Pero ahora enjuaga el trapo en la pileta y vuelve a afanarse con el cuerpo de la mujer. No llores, vas a estar bien. Vamos a lavar un poco esos pies, así te puedo dar unos zapatos. Después te voy a poner un poco de perfume y vas a estar lista para ir a tu casa. La mujer no sabía que estaba llorando, pero ahora que la señora lo ha dicho se preocupa. No quiere despertar a todos los niños, no quiere causar molestias. Dejá el libro un momento en la mesa, que no te lo voy a quitar. Bueno, si no querés no. Cada loco con su tema. Cuando vuelva mi marido te llevamos a tu casa en el remís. No creas que soy buena, eh. Es que mi hijo hizo tanto daño. Yo no soy de las madres que creen que los hijos nacen torcidos. Deben ser mis pecados, o algo que hice mal. No supe protegerlo del padre o no le di la atención que necesitaba. Es que son tantos. Pero no me justifico. La señora está ahora arrodillada. Le lava los pies y después se los pone en la palangana. El agua caliente se siente bien. Es un placer tan intenso que la mujer ríe entre las lágrimas. No sabe si la señora lo nota, porque todos sus sonidos —el llanto, la risa, los quejidos— son un eco deformado, un ruido que recuerda a un llanto, una risa, unos quejidos. O tal vez no los recuerda en absoluto. La mujer mueve los dedos de los pies como si fuera una nena jugando en el barro del río. Después se queda quieta. Como si hubiera escuchado un abucheo de voces indignadas. No tiene derecho. No quiere tener derecho.

La señora mira a la mujer y decide que ya está, que más no se puede hacer. Le acaricia la cabeza con su mano pesada y tuerce la boca hacia un costado. Cuando se te enfríe el agua te seco los pies, así te ponés los zapatos. Mirá qué casualidad. Somos tan distintas pero usamos el mismo número. Le habla con ternura, con cansancio, con afán pedagógico. Como si los golpes la hubieran convertido en una niña o en alguien que ya no podrá comprender sino palabras simples, oraciones cortas, temas humildes. La señora sigue con su charla consigo misma, pero ahora le da la espalda. Limpia lo que se ensució pero también aprovecha la noche perdida para adelantar tareas pendientes. Bate huevos, golpea carne con un martillito de madera, apila en una asadera montones de milanesas. Los niños deben estar acostumbrados a esa madre que trajina de noche porque no se despiertan. La mujer ya no la escucha. Piensa que si se queda ahí sentada tal vez llegue el mediodía y comparta la mesa. En toda familia hay un enfermo, alguien a quien al principio se trata con aprensión, pero que después se incorpora a la vida cotidiana. No quiere que llegue el día. Pero quiere que se acabe la noche. El aire entra y sale de su nariz sin tanto estruendo. Los ojos le escuecen pero ahora no llora. Se toca el labio roto con morbosa insistencia. El sabor metálico le devuelve la memoria de un cuerpo lleno de líquidos que se pueden escapar. El dolor va reconociendo partes, zonas que arden, que se hinchan, que laten. Afuera la vida transcurre llena de hendiduras, de ruidos discontinuos. Voces, risas, silencio, llantos de bebé, gritos, sonidos que podrían ser de balas o de piedras contra las chapas de los techos, silencio. Adentro el sueño de los niños, la señora y su letanía de congoja y determinación, un perro que azota la pata de la mesa con la cola. Camas marineras, estantes, un televisor apagado, una mesa de formica, una pileta donde se lava sin cesar todo lo que se usa. Y en un rincón, un altar. Flores de plástico, estampitas con espigas de trigo, santos reconocidos por la iglesia y santos queridos por el pueblo. En el centro, un Jesucristo grande como un cabrito. Tiene que haber dolido hasta el delirio lo que le hicieron. Los clavos en las muñecas atenazándolo al *patibulum*, los empeines, uno sobre el otro y más clavos,

35

las tibias rotas a mazazos por los soldados, la cruz elevada con sogas desgarrando los músculos, los tendones, la piel. El suplicio de los esclavos. Pero ahora la cabeza descansa hacia un costado. Ya no sufre, no grita, no se queja. Espera la muerte ya sin preguntas, sin reclamos, sin angustia. O tal vez la muerte ya llegó y el cuerpo todavía no se ha dado cuenta. El niño de ella tampoco parecía muerto. Antes de los médicos forenses, de los fiscales, de los funcionarios, antes de las fotos y los testigos, la mujer se había encontrado con su niño a solas. El policía de la custodia había intentado impedírselo pero no hay nada prohibido para quien ya no es dueño de su vida. Estaba en el piso. Desparramado. Si uno no se fijaba en el cuello, el niño dormía un sueño extrañamente profundo. La mujer se había sentado en las baldosas y lo había tomado en brazos. Un rato largo. Sin lágrimas. La desesperación la protegía de todos los sonidos. Por qué. Por qué. Por qué no me esperaste. Qué me querías decir. Si me querías matar por qué no me mataste como matan los hombres. Porque los niños no son hombres, ¿verdad? ¿No te da vergüenza, mocoso? Yo hubiera pensado en vos toda la vida igual, no hacía falta, esto no hacía falta. ¿Tuviste miedo? ¿Por qué no me esperaste, chiquito? ¿Por qué no me llamaste?

La mujer siente un mareo que insiste. Tiene miedo de vomitar. No quiere ensuciarle la casa a la señora. No sabe cómo salir de sí para llamar su atención, para pedirle un balde o que la lleve al baño. Dios mío, ¿por qué me está pasando todo esto?, ¿por qué estoy tan sola? La mujer se entrega a la voluntad de su cuerpo. Que sus órganos decidan expulsar lo poco que tienen adentro o contenerse. El pudor es para los dueños. Ella es inquilina de un destino que no entiende. ¿Está castigándola

Dios? Nunca entendió por qué, teniendo el poder de crear el universo, Dios entregaría a su único hijo. Por qué esa obsesión por sacrificar niños. Veinticinco niños de Belén para que sobreviva uno al que finalmente veremos repudiado y torturado, solo, abandonado, sintiéndose más huérfano que cualquier cachorro que no sabe de dónde salió. Más grande el padre, más grande el abandono. Y por qué pedirle a Abraham que asesine al hijo para probar su fe. Cuánto se habrá desgarrado su corazón subiendo a la cima del monte. Él, su pequeño Isaac, sus sirvientes y el paciente burro. Quédense acá, mi hijo y yo vamos a rezar a solas en la parte más elevada. Y cuánto habrá dolido la pregunta por la oveja. ¿Dónde está la oveja para el sacrificio, papá? ¿Por qué me atas a esta pira, papá? ¿Para qué es el puñal? ¿Qué pasa, papi? Abraham amaba más al Padre que a su hijo. Sólo tuvo la debilidad de sacar el cuchillo para evitarle al niño el sufrimiento de las llamas. Pero Dios le perdonó esa miseria insignificante y envió al ángel a detener su mano. ¿Está castigándola Dios? Cuántas veces hubiera podido entregar un niño. Pero no. Todos tenían que ser salvados. Todos tenían que tener su oportunidad. ¿Está castigándola Dios por haber pecado de soberbia? Aunque quién sabe, tal vez la falta estuvo en la distracción. Porque cuando la mujer miró dentro de sí para ver al hombre no vio el futuro: se vio a sí misma a salvo del futuro. Cualquiera que sea el delito, ya no importa más que el castigo. Dios no perdona los pecados que manda cometer.

El ruido de la puerta la sobresalta. La mujer da un respingo y se pone tensa. ¿Quién es ésta? Una voz gruesa, carraspeada, que intenta contener un grito por respeto al sueño de los niños. Otra vez juntando desgraciados de la calle. No entiendo. No tenés suficiente quilombo con tus hijos. La señora se limpia con premura las manos y abraza al marido. Le pega la cara al cuello y llora un ruego de disculpas y justificaciones. Vos pensás que así vas a recuperar a Joel y te equivocás. Joel está perdido. El marido ya no parece enojado. Está repitiendo una salmodia que ya lo tiene harto. La señora sigue hablando en una lengua que sólo él entiende. No, no me vengas con parábolas ni con cuentos de ovejas. Me da lo mismo si son cien, noventa y nueve o una. Él tomó una decisión y no va a volver atrás por más noches que salgas a buscarlo, por más carteles que pegues en los postes, por más mujeres golpeadas que salves. La señora da ahora unas paraditas contra el piso. La voz se le quiebra. El llanto es una disfonía de aprendiz de trompetista. Basta, María. No aguanto más. No puede ser que me pase toda la noche trabajando para llegar a mi casa y encontrarme con esto. La señora le toma la cara con las manos. El marido no quiere mirarla, pero ella insiste. Una madre nunca se cansa de pelear por su hijo. Joel es mi hijo. También son tus hijos todos estos que dejás solos para ir a buscar a este pibe que no hace más que darte disgustos. Te hago un mate, ¿querés? ¿Un sanguchito de milanesa? Recién las hice. ¿Tenés hambre? Tengo sueño. La señora pone todo en funcionamiento. Sartén, pava, plato, cubiertos. De vez en cuando se seca la cara de sudor o de llantos con el delantal, pero no se detiene.

La mujer quisiera desaparecer. Convertirse en aliento, en aire, en palabra. Pero no puede hacer más que encerrarse en un silencio sin hipos, sin lágrimas, sin ruidos. La señora le sirve un vaso de agua. Ahora mi marido se va a dar una ducha, va a comer algo y después te va a llevar en el remís. Yo no voy a ir a ninguna parte.

Me voy a bañar, voy a comer y después me voy a ir a dormir. ¿A dónde querés que te llevemos? ¿Dónde vivís? María, ¿no me estás escuchando? Vos no te preocupes. Es bueno. Lo que pasa es que está cansado. Decime. ¿Vivís lejos? Si vive lejos la acerco y nada más. La mujer piensa en su casa. En su cama revuelta de la noche sin dormir, la silla llena de ropa probada y descartada, la luz prendida. O quizás la institución sea más su casa. Deben estar esperándola todavía. Tal vez apareció algún familiar del niño, quizás el juzgado le haya requerido algo. ¿Y si fuera a la casa del hombre? Tocaría el timbre y él bajaría las escaleras corriendo. La abrazaría con cuidado porque no sabría cómo tocarla. Después la acostaría y encontraría el modo de besarla sin que doliera. O con dolor. Mejor con dolor. Que cada beso abra una llaga. Del centro de su cuerpo le sube un líquido amargo que le empapa las encías. Sentada a su lado, la señora le toca la mano con pena, pero también con cierta exasperación. Hablame, querida. La mujer separa los labios rotos y susurra. La señora se acerca. No te escucho. ¿A dónde querés que te llevemos? Necesita un lugar donde terminar de entender lo que ya sabe. Desde el baño llega el ruido de la ducha y un vapor que se cuela por la puerta mal cerrada. La mujer siente que la garganta se le angosta, otra vez está llorando. Al hospital. Por favor. A cualquier hospital.

Los ruidos se han aquietado. Un momento de amnistía para hacer cuentas con la noche. Entre la señora y su marido levantan a la mujer y la sacan de la casa. Casi no toca el piso con los pies mientras recorren dos, tres, cuatro pasillos hasta llegar a la calle. La meten en el asiento trasero de un auto como si fuera ya un cadáver envuelto en una esterilla. La mujer se abraza a su libro y mira por la ventana una avenida que no recuerda pero conoce. El marido ya no protesta. Baja la velocidad cada vez que pasan cerca de algún joven o grupo de jóvenes para que la señora se fije si no está entre ellos su hijo. La señora renueva la esperanza. El marido ya no espera nada.

En la puerta del hospital la mujer llora. Otra vez. Quiere agradecerle a la señora, desearle que su hijo vuelva pronto, contarle que ha visto muchos chicos como el suyo que se han recuperado, callar sobre los otros, los que no pudieron. Pero no tiene más que llanto. Se deja acompañar a la guardia. Te tengo que dejar acá, ¿sabés? Tengo que hacerles el desayuno a los chicos, todavía no planché los delantales, hoy es día de escuela. La mujer esconde la cabeza en el hombro de la señora. La cara es un desastre de lágrimas y agua que le cae de la nariz. Ay, no tengo pañuelo ni papel higiénico ni nada. No te enojes, te voy a limpiar con la mano. La mujer se deja hacer. Ya no intenta retener la congoja que le hace doler el cuerpo en cada espasmo. La señora mira hacia adelante y hacia los costados. Los heridos, los enfermos, los acompañantes. No encuentra dónde limpiarse la mano empapada. Se la pasa por el pelo, con naturalidad, con resignación, con siglos de experiencia en perder el asco. Tengo que irme, querida. Mi marido ya se debe estar enojando. Vas a estar bien. Acá te van a curar. Sentate que ya te van a llamar. La mujer no quiere quedarse sola. Quisiera subirse al cuerpo grandote de la señora y esperar en ese monte que termine el tiempo, que el mundo deje su rueda indolente, que la vida se le escurra por todos los orificios. Le gustaría darle un abrazo de despedida, decirle algo, pero la señora ya está caminando por el pasillo hacia la puerta.

Debe haber sido una noche especialmente cruel. Quien no sangra, apenas se mueve o se agarra alguna

40

parte del cuerpo como si fuera a salírsele. La mujer se siente avergonzada con sus moretones y su dolor en el alma. Tal vez debería irse, dejarle el lugar a los más graves, pero se hunde en la silla de plástico y sigue llorando. Ya sin ruido ni hipos ni espasmos. Sólo una corriente lenta de lágrimas que baja por la cara y le moja el pecho, las piernas, la baldosa partida en la que su pie izquierdo no descansa.

Un brazo con delantal blanco la sacude sin violencia pero con determinación. ¿Podés caminar? El médico la lleva de la cintura, como si fuera una anciana, hasta el consultorio. Una habitación desangelada, con dos sillas blancas, un escritorio de escuela, una camilla y olor a desinfectante. ¿Qué te pasó? La mujer llora. ¿Cómo te llamás? ¿Te asaltaron? ¿Quién te pegó? ¿Fue tu pareja? La mujer llora. Bueno, vamos a revisarte y después charlamos. Tenés que saber que podés hacer la denuncia. No te voy a mentir, no es un camino fácil, pero se puede vivir de otra manera. Ahora te vas a sacar la ropa para que pueda ver el daño. La mujer consiente en desvestirse y acostarse en la camilla. Antes mete su libro adentro del pantalón y se fija que la cucharita no se le escape del bolsillo de la camisa. El médico la palpa, le mueve las articulaciones, le ilumina las pupilas con una linterna. ¿Te duele acá? ¿Te duele si hago esto? La mujer llora y responde con la cabeza. Sí, no, más o menos, ¡ay!, mucho. Me parece que zafaste. Tenés una herida abierta entre las costillas del lado izquierdo, pero no escucho ruidos en el pulmón. El médico saca algodón de una lata vieja y empapa un manojo en alcohol. Desinfecta y tapa la lastimadura con una gasa. La mujer piensa fugazmente en la cinta adhesiva. Va a doler cuando se la tenga que

41

sacar. Te voy a hacer unas placas para asegurarnos. Tomá, ponete este batín y sentate en la silla de ruedas, así hacemos más rápido. Otra vez sobre ruedas, transportada como si fuera un paquete. Sube ascensores, recorre pasillos helados, puertas que nadie abre, empujada con apuro y con pericia. Radiografías de varias partes del cuerpo. Ningún hueso roto. Camino de regreso al consultorio. Vestite despacito. Te voy a recetar unos desinflamatorios y un calmante para el dolor. Pero creo que necesitás ver a alguien de Salud Mental, porque vos lo que tenés es una angustia tremenda. La palabra angustia tiene un efecto de rayo. El pecho se le hunde. Las manos le tiemblan desde los hombros. La cabeza busca cobijo entre las piernas. El médico no sabe qué hacer pero tiene experiencia suficiente como para saber que no puede hacer mucho. Ya vengo. La mujer se queda sola. Mira su ropa y no entiende cómo logró sacársela. Los zapatos que le dio la señora asoman por debajo de la silla. Por primera vez en mucho tiempo siente la soledad. Como un grano de trigo que el viento ha separado de la espiga, sabe que ya se ha desgajado de su gente. Y sabe también que sin ella llegará el tiempo en el que se dispersarán y cada uno también estará solo. Todos los que antes la habían odiado a ella, odiarán a los que la quisieron. Así es el mundo con los que no son del mundo. Pero nadie, ni los que la quieren ni los que la odian, la querrán ni la odiarán por las razones correctas. Ninguno va a juzgarla por la muerte del niño. Bastante duró, van a decir. Ya estaba condenado antes de nacer, van a decir también. Igual se iba a morir. Lo iba a matar la policía o se iba a morir drogado o lo iba a atravesar algún otro condenado con un vidrio o con el tirante de una cama. Si vuelve ahora, si se presenta y emprende la lucha otra vez van a glorificarla. La verdad es una luz que encandila. No muchos pueden mantener los ojos abiertos. Pero pronto lo sabrán aunque no lo entiendan. El pecado es haber creído. La justicia es que me vaya. El juicio es que sólo yo sepa que he sido condenada. La mujer se pone de pie y se viste despacio. El libro ha sufrido con su abrazo. Las esquinas están redondeadas, la primera página se dobló, el barro ha manchado de marrón lo amarillo. La cucharita sigue en el bolsillo de su camisa. En el bolsillo de atrás de su pantalón está el papelito en el que él dibujó arabescos sin pensar, cuando todavía tomaban mate y se leían pasajes selectos de sus libros. Quiere irse antes de que llegue el médico, pero cuando pone la mano en el picaporte alguien le impide abrir la puerta. Hola, vine a verte. Soy Sara, la psicóloga de guardia. Ay no, por favor, déjame salir. Claro, es sólo un momento. La mujer no tiene voluntad de oponerse. Vuelve a sentarse y enfrenta la mirada de ojos claros con un coraje que se esfuma en seguida. Otra vez llora. Yo sé que ahora te parece que hablar no tiene sentido, pero te aseguro que te vas a sentir mejor si me contás qué pasó. ¿Querés que le avise a alguien para que te venga a buscar? Puedo llamar por teléfono a quien vos quieras o podés usar el teléfono vos y hablar en privado. La mujer piensa en sus dos teléfonos. ¿Habrá seguido llamándola el hombre? Tal vez sigan vibrando inútilmente en el bolsillo de los ladrones o quizás ya estén vendidos y comprados y perdidos para siempre de todo lazo con su vida. ¿Te gustaría tomar un té? Yo estaba por hacerme uno. La mujer niega con la cabeza. ¿Estás enojada? Sí, tal vez esté enojada. Pero no sabe todavía con quién. ¿Con el niño por morirse justo cuando ella se estaba enamorando? ¿Con el hombre por haberla enamorado? ¿Con los incrédulos por haber sido piedras en su camino? ¿Con los que creyeron por haberle hecho sentir que las piedras no importaban? ¿Con ella misma por haber supuesto que tenía una verdad que transmitir? La mujer vuelve a negar con la cabeza. Si pudiera le explicaría que no está negando, que está negándose. Pero no puede evitar la insistencia de la psicóloga. A ella también le debe gustar predicar en el desierto. La clave está en dejar de llorar. Si deja de llorar va a poder irse. La mujer se concentra en la respiración. El aire entra y el aire sale. Entra en pedacitos y sale de a pedacitos. Pero entra y sale y en unos minutos es capaz de contener las lágrimas. Ya es la hora. Tengo que irme. Las decisiones tomadas le dan fuerza. Te propongo una cosa. Mañana todavía voy a estar acá, de guardia. Te espero y conversamos. Te espero a las diez, ¿qué te parece? La mujer asiente. Mañana. Mañana tal vez ya hayan entendido que los abandonó en el peor momento. Van a odiarla. Algunos comprenderán y le tendrán lástima. Soportará en silencio el odio y la lástima. Con desapasionada firmeza de juez se lee en silencio su sentencia. La mujer se hincha de una paz desconocida. Hay descanso en la derrota. Él va a buscarla y ella no estará para ser encontrada. No se redimirá arreglando lo que salió mal en la institución. Lo que salió mal no tiene arreglo. No le hará bien a otros chicos. Buscará un trabajo que no le cambie la vida a nadie. No acudirá al hombre. La condena será implacable. Sin chicos. Sin amor. Pero sangrará por los estigmas de un libro, una cuchara de café y un papelito doblado en muchas partes, el recuerdo de una noche llena de milagros.

La mujer extiende una mano para despedirse. Endereza su joroba, sonríe con compostura, abre la puerta y emprende el camino hacia el día que ya estalla en todas las ventanas de vidrio.

II

¿No comprendes que te estoy salvando?
¿No comprendes que te estoy amando?
¡No me sigas, ni me llames ni me beses,
ni me llores, ni me quieras más!

HOMERO MANZI

1

LA CASA es luminosa. Es vieja pero nueva. Recién pintada, sin marcas de ninguna identidad o con marcas que fueron quedando y que no hubo necesidad de quitar. Tiene un patio pequeño en el centro y ventanas que dan a la calle. Dos habitaciones. En una hay una cama de dos plazas y una gran cantidad de bultos contra las paredes. Ocho bolsas negras, cuatro valijas y un baúl. Papeles rotos. La otra habitación es más larga que ancha y recibe luz del patio y de la vereda. Está completamente vacía salvo por un sillón blanco de un cuerpo, una lámpara de pie y un libro muy manoseado. El sillón mira hacia la pared. La cocina es mínima. Entra con dificultad una mesa de un metro de largo. Sobre la mesa hay un teléfono negro. Una sola silla. En la hornalla está calentándose agua en una pava. La mujer está descalza y tiene puesta una bata azul. Recorre la casa de una punta a la otra casi corriendo. No mira nada. En cada extremo de su camino hay un cenicero. En la persiana metálica de la puerta ventana que da al patio hay una percha colgada. Un pantalón negro y una camisa blanca. El sillón de un solo cuerpo, la lámpara de pie, el libro muy manoseado y la ropa para ir al trabajo. La mujer detiene su caminata y se para frente a la percha. Mira a los ojos al fantasma que viste su ropa para ir al trabajo. El fantasma intenta convencerla. Tenemos que hacerlo. No hay opción. Sí, podríamos ir en busca de los rastros de Tlön, ser lectores en el desierto argentino, analizar el caso Hamlet. Pero no. La mujer pone la bata azul de pana donde antes estuvo la ropa. La ropa descansa en el sillón. Ella está desnuda. Tiene la piel erizada. Se pone la bombacha y después el corpiño. Abre la camisa. Botón por botón. Dice algo o canturrea. Se inclina ante cada botón como si tratara de suavizarles la pena de salir del ojal. Entra un brazo en una manga, el otro, abrocha los botones con lentitud, con respeto. El pantalón. La camisa adentro. Las medias de vestir y los zapatos. No le gustan los zapatos. Tiene los pies anchos de andar descalza. Se queda un momento sintiendo el cilicio de los pies estrujados en los zapatos de vestir. Ahora el saco, negro como el pantalón. Al final, un pañuelo de un blanco más estridente que el blanco de la camisa. El pelo es más difícil. Se lo estira hacia atrás con las manos varias veces y después se lo retuerce hasta lograr una cuerda gruesa y áspera. Lo enrosca sobre sí tres vueltas y es un rodete severo. Saca del bolsillo cuatro horquillas y lo asegura contra la cabeza. Respira una vez, dos veces, busca a tientas un cigarrillo en la bata que ha quedado colgada, lo enciende, lo fuma con los ojos cerrados. Ya está. Ya está.

Abre la puerta ventana. Es muy temprano. Más tarde hará calor, pero todavía el frío muerde por las mañanas. La mujer cierra los postigos, entra en su habitación y se queda un rato mirando el interior del baúl. Agarra un libro, después lo deja. Saca todos y los pone en el piso.

Exhibidos como para una venta callejera. Algunos tienen papelitos que marcan páginas, otros todavía están dentro de sus plásticos. Los libros ocupan casi toda la superficie de la pieza. Sólo queda lugar para la cama, las bolsas, las valijas, el baúl. La mujer queda contra una pared, con los brazos cruzados. Después recoge los libros uno por uno y los va devolviendo al baúl. Los zapatos gimen contra el piso de madera. En la espalda le ha quedado la marca de la pared que pierde sus polvos blancos. Guarda todos los libros otra vez. Todos menos uno. En la cocina hay un cuaderno blanco que se cierra con una cinta elástica. Arriba lo cruza una lapicera de tinta roja al agua. La mujer apaga el fuego donde se calentaba un agua que no sirvió para nada. Toma el cuaderno y la lapicera y los guarda junto con el libro adentro de su cartera. Se detiene un momento. Vuelve hacia el sillón blanco y agarra el libro manoseado y también lo guarda en la cartera. Mientras va saliendo se saca una vez los zapatos y abre y cierra los dedos de los pies. No se mira en el reflejo de la ventana ni en el espejo del baño. Cierra la puerta con llave y camina. Los porteros desperdician el agua del mundo barriendo sin escobas, empujando las hojas muertas con la presión de la manguera tapada a medias con un dedo.

***

Ya en el tren la mujer saca el libro. Lo huele con los ojos cerrados. Busca un lápiz en la cartera. Lee haciendo marcas en los márgenes, subrayando oraciones, escribiendo algunas notas recordatorias en la última página. El vidrio de la ventana vibra con el traqueteo. La mujer juega ahora con el lápiz y deja que la frente se golpee un poco contra el vidrio. Un carro tirado por un caballo que tal vez fuera blanco debajo de la mugre entra un instante en el cuadro. La mujer tuerce el cuello para seguirlo. Un niño con una camiseta atada a la frente como si fuera una vincha remeda un arco y lanza una flecha imaginaria contra el tren. Después levanta los brazos como si hubiera derribado la formación, como si el tren no fuera un tren, como si el tren fuera un animal salvaje o un demonio o un monstruo marino, como si hubiera triunfado en una batalla final, como si ahora no le quedara más que vencer, que seguir venciendo. Después la ventana lo pierde y se llena de casas, de autos, de gente sin imaginación ni propósitos heroicos.

La mujer vuelve al libro y al lápiz. Algo, un recuerdo o un descubrimiento, se adivina en su mirada que de pronto se vacía. Abre la cartera y saca el otro libro. Acaricia un párrafo con el dedo índice. Lo marca con el lápiz. Russell cree que la ciudad real depende de su réplica y por eso está loco. Mejor dicho, por eso no es un simple fotógrafo. Ha alterado las relaciones de representación, de modo que la ciudad real es la que esconde en su casa y la otra es sólo un espejismo o un recuerdo. Un ciego recorre el pasillo del tren golpeando los asientos con su bastón. Lo recoge como si fuera una serpiente que de pronto se encogiera y recita su pedido de monedas. La mujer deja la frente contra la ventana. La deja golpearse. El frío del vidrio contra la frente caliente. Rebota. Una muñeca de porcelana. Tiene miedo de romperse. Quiere romperse. Vaciarse. Llenarse de un ruido y un dolor en la frente. ¿En esa ciudad inventada estábamos nosotros? ¿Estaba la puerta enorme de madera contra la que me apoyé esperando que vinieras a abrirme, rogando que no vinieras, que nos salvaras de esa noche? Las monedas obedecen la mano del ciego y cantan su melodía metálica. Ustedes me conocen. No tengo plata ni oro pero les doy lo que tengo. El ciego baila unos pasos. Un Fred Astaire gordo, pelado y ciego. Ustedes saben que con mis propias manos he atendido mis necesidades y las de mis compañeros. La mujer lo mira pero no lo ve. Abraza el libro abierto y apoya la cabeza en el asiento. Todavía siente un poco la vibración de los golpes contra el vidrio, pero el dolor ha sido inútil. No llena nada. Nada se vacía. ¿Se habría salvado el niño si en vez de ubicarlo solo en un baño, solo sin que nadie lo mirara, solo sin que nadie lo consolara ni lo retara, Russell le hubiera construido una casita, con una mamá, un perrito moviéndole la cola y una mesa con un plato de comida caliente esperando siempre por él? El ciego la despabila con su lata de monedas. No, no tengo. Lo que ustedes puedan, todo suma, diez centavos, un peso. Nada vale tanto como el aplauso. Ese sonido me levanta todos los días y me trae acá con ustedes. Que tengan un hermoso día y un mejor retorno a sus hogares.

La estación terminal se llena de gente escupida por el tren. Todos corren como si los vagones se incendiaran. La mujer se queda sentada. Cierra el libro con cuidado, lo mete en la cartera junto con el lápiz y baja despacio. Le espera un viaje en subte donde no se puede leer ni escribir nada. Entregará su cuerpo a la masa de cuerpos y se dejará mecer hasta llegar al final del recorrido.

***

La mujer se ve pequeña frente a la escalinata de mármol. Cincuenta y siete escalones terminan en una puerta enorme. El espaldar del trono de un gigante. Nadie sale. Cada poco la puerta giratoria avanza hacia adentro empujada por hombres y mujeres vestidos con colores sobrios, camisas, sacos, pantalones planchados. La mujer pone la mano derecha contra la puerta y entra en un clima fresco, de techos muy altos, de columnas con molduras, pisos de cerámicos cuadrados que brillan como si acabaran de ser trapeados. A la altura de un mostrador de madera oscura, hay una fila de molinetes plateados. La mujer apoya una tarjeta que saca de la cartera y el molinete cede a su cadera. El ascensor, de puertas doradas, con los números romanos en media luna, ya tiene una fila de unas veinte personas. Cuando por fin le toca su turno el ascensor no baja, sube. La mayoría va a los pisos superiores, no a los subsuelos. El ascensor para en cada piso. Una voz de radioteatro anuncia en qué piso estamos y nos da las gracias por nuestra visita. Nadie visita el Ministerio a esa hora. Sólo hay empleados ejemplares o ambiciosos. La mujer se deja llevar hasta el último piso. Debería quedarse en el ascensor pero se baja. Es tan temprano que la mayoría de las oficinas tiene todavía la luz apagada. La mujer sale a la terraza. Enciende un cigarrillo. Vista desde atrás, es una figurita recortada contra un cielo blanco. Está en el piso 23 y tiene que llegar al quinto subsuelo. No quiere volver al ascensor, aunque bajara sola le parece que el olor de la gente ha quedado impregnado en las paredes doradas. No es un olor fuerte, apenas perfumes, desodorantes, cremas para la piel, champú, pelo mojado, betún de zapatos que brillan. Pero hay olores que aunque hayan sido hechos para agradar son tan pestilentes como un río de peces muertos todos al mismo tiempo. La mujer va bajando despacio por las escaleras. Los techos altos, las ventanas llenas de luz, los cuadros de próceres, las fotos enmarcadas de los funcionarios con otros funcionarios más importantes, las vitrinas con las pequeñas obras de arte, las computadoras matrices con sus luces intermitentes y sus sistemas circulatorios de cables blancos y amarillos, las cajas fuertes llenas de años de expedientes, y otra vez la planta baja, con su majestuoso cuadro del héroe de la patria presidiendo la gran sala; una estación de tren de una época remota que la ve volver con indiferencia. Las escaleras que bajan a los subsuelos ya no son de mármol. El olor pasteurizado de las oficinas ha cambiado por el olor a trabajo. Pegamento, serrín, tinta, químicos. Cinco pisos hasta llegar al taller que la espera. Todavía no ha llegado nadie. La mujer deja su cartera en un ropero, se quita el saco negro y elegante y se pone el guardapolvo beige. Se sienta en una silla dura y apoya un momento la frente sobre la mesa. Con los párpados todavía apretados se yergue. Después abre un cajón y saca las reglas caladas y un fibrón negro. Tardará nueve minutos en pintar cada número. Logrará llenar sus ocho horas diarias de trabajo. Pintará unos cuarenta números con reglas caladas. Tomará cuatro tés. Irá cinco veces al baño. Caminará hasta el carrito y comprará algo para comer. Almorzará en silencio leyendo siete páginas de un libro. Cambiará algunas palabras repartidas en dos conversaciones casuales. Todavía no son las ocho de la mañana. Cuando entre el primero de sus tres compañeros dirá un buenos días muy masticado y se pondrá en movimiento. Pero ahora sólo sostiene sus herramientas como una marioneta sin titiritero.

***

Cae la tarde y es un vaso de arcilla que se rompe contra los edificios. Pedazos de cielo marrón se van separando los unos de los otros y la noche abre una puerta que ya nadie podrá cerrar hasta que llegue la mañana. La mujer

51

camina. Fuma. No ha tomado el subterráneo y ha dejado pasar todos los trenes hasta conseguir uno donde pudiera sentarse. Ahora está llegando a su casa. En la puerta de un supermercado aminora el paso. Debería comprar algo para comer. Y también un plato, un vaso, toallas. ¿Quién estará usando mis platos, mis vasos, mis toallas? No importa. La mujer pasea por el supermercado su carrito vacío. No le gusta nada. Agarra una manzana y la vuelve a dejar en su lugar. Un paquete de fideos de trigo candeal. Arroz que nunca se pasa. Polenta que se hace en un minuto. Sobres de sopas de pollo con municiones. Todo es sacado, mirado y vuelto a su lugar. Algo hay que comer. Nadie vendrá a remplazarla por una hermosa pantera negra si se muere de hambre. ¿Tendrá un largo cabello negro o al menos oscuro que caerá por su espalda desnuda la que seguramente me ha remplazado en tu cama o me remplazará pronto en todo caso? ¿O tendrá un pelo amarillo como una escoba de paja, parecido al mío? No importa. Al final se decide por las latas. Arvejas, remolachas, granos de choclo, ensalada jardinera, zanahorias mínimas, garbanzos, sopas preparadas. Y un plato, un vaso, un juego de cuchara, cuchillo y tenedor. Y dos toallas. En la caja venden golosinas y pequeños juguetitos. Un guerrero con la boca muy abierta tensa su arco apuntando su flecha de plástico al corazón del comprador. Está montado en un caballo encabritado. Un caballo blanco. Debajo del jinete hay una tapita y adentro confites de chocolate. Me lo llevo. Y el whisky también.

***

La mujer ha arrastrado sus bolsas hasta la casa. Pesan como si la tercera parte de la tierra se hubiera muerto y ella llevara sus cuerpos en bolsas de supermercado. Transpira, se agita, bufa. Llena las alacenas vacías con sus latas. Se mete en el baño. Se saca la ropa y se mete debajo de la ducha. Abre la canilla pero no sale agua. La cañería tose, carraspea y después escupe unas pocas salivas ferrosas. Se debe haber cortado el agua. La mujer sale y prueba la canilla de la pileta. Más toses y gruñidos y unos pocos sorbos de agua colorada. La cocina lo mismo. Todas las griferías heridas de muerte. Sólo la canilla del patio después de unos eructos metálicos provee agua. No importa. Deja las canillas abiertas y se pone la bata azul de pana sobre el cuerpo desnudo. En el bolsillo de la bata hay un atado de cigarrillos. Saca el libro de su cartera, enciende la lámpara de pie y se deja caer en el sillón blanco. La lámpara se tambalea un momento. La mujer la agarra con firmeza y entonces se queda quieta. Hay una luz triste y sucia que entra por las ventanas, pero que se interrumpe cortada en tres cuando se enciende la lámpara. La tarde hace silencio y la mujer vuelve al libro. En la tapa dos relojes marcan que son las doce menos cuarto. Es una estación de tren y tiene unos techos tan altos que las personas desde la perspectiva del reloj que cuelga son ratones vistos por un águila en pleno vuelo. Sombreros, tapados, valijas. En el centro una luz llega desde lo alto y entonces sabemos que son las doce menos cuarto del mediodía. ¿Por qué esa foto para este libro? ¿Es una invitación a abordar un tren? Un viaje. ¿O estamos esperando que llegue alguien? Un tren largo, una formación de muchos vagones y en él viaja un solo pasajero: el último lector. El último lector. Vamos a buscarlo a la estación, lo llevaremos a casa y cenaremos juntos. O tal vez lo iremos a buscar sólo para seguirlo y verlo leer. Miremos cómo lee, que la imagen nos acompañe en la hora de las tribulaciones. Está absorto. A su alrededor se libran guerras y se pierden. Nacen héroes y se mueren. Los asesinos se encarnizan con los inocentes. Los inocentes van a la hoguera para purificar las almas de los hombres. Hombres y mujeres se besarán en la boca. Los niños jugarán con los pies en el agua. Alguna que otra vez vencerá un justo. Pero él estará haciendo algo más importante. Algo mejor. Estará leyendo. Él nunca sabrá que lo miramos. Seremos como un evangelista de pie sobre la playa, escribiendo visiones que de todos modos nadie quiere escuchar. No importa. La mujer abre el libro y lee. Con una mano distraída busca de memoria el lápiz en la cartera y subraya párrafos, hace círculos alrededor de algunos nombres, saca flechas y hace anotaciones. Es un libro que ya está subrayado. La mujer acaricia la tinta negra de antes. Este libro tiene que estar en tu mesita de luz. Este libro ya estaba entre nosotros. Este libro es la voz que nos hablaba desde hace mucho. Este libro es la clave. Quería comprártelo pero no llegué a tiempo. Llevate el mío. Leelo. Leeme. La mujer se pone de pie de pronto. De un salto. Corre a la otra habitación. Abre el baúl y saca los libros. Todos. Los va llevando de a varios hasta el sillón. Los pone en el piso. Busca papel donde anotar. Agarra su cuaderno para arrancarle algunas hojas, pero se detiene. En las bolsas del supermercado hay un ticket largo, como de un metro. Dónde estaban los marcadores. Yo traje mi cartuchera. Pero dónde. La mujer vuelve a su habitación. Su respiración es agitada. Parpadea como si una luz la cegara. Palpa las bolsas negras. No encuentra. Les da vuelta y arma un lío de ropa y objetos, como si los cuatro vientos soplaran al mismo tiempo. Entonces la ve. Una bolsita azul muy manchada y adentro lápices de colores, fibras, gomas, sacapuntas, cinta adhesiva, plasticola. La mujer corre hacia el sillón. Anota detrás del ticket de la compra. Ezra Pound. Onetti. Felisberto Hernández. Lévi-Strauss. Lo corta. Pone una tilde en Ezra Pound y en Onetti. Pega la tira en la pared con cinta adhesiva. Otra lista: Borges. Mármol. Groussac. Milton. Kafka. Joyce. Cervantes. Proust. Arlt. Flaubert. Lowry. Macedonio Fernández. Mira los libros en el piso. Tilda Borges, Kafka, Flaubert y Lowry. Corta la tira de papel y la pega al lado de la otra. Son como escritos japoneses. O chinos. Hay que leerlos de arriba hacia abajo. Se sienta en el piso y se esmera en la caligrafía. "… el que lee y descifra está condenado a escarbar para siempre jamás hasta que se hunda la mollera y se le pierda la cabeza, el texto está destinado a ese lector ideal que sufre de un insomnio ideal." Lo pega encima de las dos tiras verticales. Otro papel: "… la miré por última vez. Era una imagen remota y única que reproducía la forma real de una obsesión". Y también: "Un empecinado que pierde la razón porque no quiere capitular en su intento por encontrar el sentido". La mujer está muy agitada, como si hubiera llorado o corrido. La respiración se corta de pronto. Se agarra la cabeza, gira sobre sí misma. Se ha acordado de algo. Vuelve a su habitación. Del baúl donde estaban los libros saca con cuidado una caja de cartón. Adentro hay una cucharita de té y un papelito. La mujer se sienta en el piso. Mira los objetos, pero mira a través de los objetos. Se presiona el pecho con la mano y se pone de pie. Vuelve a la pared y al sillón. Con mucha delicadeza, como si fuera una mariposa o un papiro muy antiguo, toma el papelito y vuelve a ver. Dibujitos hechos sin pensar, arabescos. La mano del hombre está ahí. La mujer besa en el papel la mano de un hombre. Después busca el atado de cigarrillos en la bata y le saca el celofán. Con paciencia, con dificultad, con persistencia, le va haciendo al papelito una protección. Cuando el trabajo está terminado, lo pega en la pared junto con las tiras escritas con listas y frases. Se separa un poco para mirar lo que ha hecho. ¿Y con la cucharita? El metal siempre sabe un poco a sangre. La mujer corta otro pedazo de cinta y pega la cucharita en la pared. Se acerca mucho, tuerce la cabeza hasta que un ojo queda justo en la concavidad. Comerse un ojo. Untarlo en la tostada. Usarlo de azúcar para el café. Ser tuerta y mirar el mundo con un ojo solo. Recordarte sólo la mitad. De las canillas que ha dejado abiertas de pronto sale agua. De todas las canillas al mismo tiempo. Un estruendo de grandes cataratas. La mujer se asusta. No entiende. Pero entonces se da cuenta de que la ha asustado el agua que ha vuelto a la casa de repente. Se sienta en el sillón. Se calma, se repliega como si fuera un pergamino que se enrolla. Mira la pared. Llora un rato. Tal vez media hora. Después se levanta y va cerrando las canillas. La cara le ha quedado marcada por el llanto. Se enjuaga las mejillas y se seca con la manga de la bata. Saca un cigarrillo, lo enciende, fuma despacio. Le duele el pecho. Será la nicotina o la angustia. No importa. Hay mucho que hacer. La mujer vuelve a su libro, a su lápiz, a sus listas. Afuera la noche es una bestia que ya se ha comido todo. Las luces de los edificios, del alumbrado público, de los autos que pasan, son heridas de espada en un cuerpo negro que va a sobrevivir hasta la mañana. No importa.

2

Los postigos están cerrados. Todavía no hay cortinas y quizás la mujer no encuentre nunca el ánimo para pensar en ello, comprarlas, colocarlas. Sin embargo, la luz que entra acuchillando la habitación es tan alegre, tan diáfana, tan agresiva, que tal vez la mujer sí logre pensarlo después de todo. Está sentada en el piso. Sobre la bata azul de pana tiene puesto un pulóver. Lee. Piensa. Está rodeada de libros con lápices adentro. El pulóver ha perdido un punto. De pronto lo nota. Un agujero a la altura del ombligo se abre cada vez más. Mete el dedo y escarba hasta pescar la punta de la lana. Tira. Con firmeza. Mira el hueco que ahora es del tamaño de un higo grande. Hace un ovillo. Una pelota de lana roja que gira alrededor de su cuerpo. Ahora ya es una faja de frío. Corta la lana de un tirón. Abraza el ovillo con los ojos cerrados. Un momento. Hubiera querido no detenerse en esta interrupción. Pero ya está. Toma el extremo del ovillo y teje con los dedos una cadena larga, larga, perpetua. Las manos están ahí, el dedo entra y sale, pero sus ojos están en la pared. Se levanta sin soltar la lana y hace una anotación al lado de Kafka. El marcador raspa la pared. Un poco de pintura se queda en la punta del marcador y la mujer lo limpia con la bata azul que ya se llenó de manchas de marcador. Manchas negras, rojas, verdes. Hay muchas notas en las tiras pegadas en la pared. Al principio de la noche debió querer respetar los márgenes del papel porque la letra se va haciendo más y más pequeña al llegar a los bordes, pero debe haber renunciado más tarde. Ahora las anotaciones empiezan a invadir la pared. Directamente en la pared. Se sienta. El ovillo se ha reducido hasta el tamaño de una nuez. La cadena es una montaña roja y espumosa a los pies de la mujer. Toma un libro, le saca con cuidado los lápices y pone a cambio la cadena recién tejida. Un libro, otro, y otro más. Todos. Es un laberinto que entra en un libro y se mete en otro para volver a salir y meterse en otro más. Caminos extraviados. Puntadas de una costurera remendona. Construir un solo libro con todos los libros. De marca en marca, el libro universal. Ahora cierra los ojos. Todavía tiene unos treinta centímetros de su cadena colorada. Apoya la cabeza en las rodillas. Podría parecer dormida si no fuera por las manos que se mueven, juegan con la lana. De pronto abre los ojos. Busca un libro. Lo abre con cuidado de no perder la marca que señala la cadenita de lana. Se acomoda para desentumecerse las piernas. Hacia un lado, después hacia el otro. Se pone de pie. Lee en voz alta: declama. Abre los brazos para darle énfasis a lo que recita. El libro se aleja en una mano, pero la mujer lee sin ver. Se aleja y le da un golpe a la lámpara que cae. La bombilla hace un estruendo tremendo. Se despierta como si hubiera estado dormida. Mira a su alrededor. Es de día. La ropa de ir a trabajar no está colgada en la percha. Se precipita hacia su cuarto en busca de un reloj. Son las seis y diez de la mañana. Rescata una camisa, un pantalón, un saco que hace juego, ropa interior. Lo pone todo en la percha y la lleva con reverencia a la persiana frente al sillón. La lámpara está desmayada en el piso. Va hacia la cocina y pone una pava en el fuego. Vuelve a su pared y lee la noche que acaba de terminar. Enciende un cigarrillo y camina a buen paso. En cada extremo de la habitación tiene un cenicero. La saliva se le endurece en la boca. Si quisiera podría modelar una estatuilla con ella. Pero no quiere. La deshace con la lengua, la fragua con humo, la desprecia con la manga de la bata de pana azul. Camina el cigarrillo hasta el filtro y después se mete debajo de la ducha. En el fuego la pava gime sin agua. Pero nadie la escucha. Envuelta en la toalla vuelve a la ropa. La mujer se viste despacio. La bata azul erguida en la percha cuelga en los postigos de la puerta ventana que da al patio. Un sonido insiste. Viene del patio. Tal vez detrás de la planta solitaria, reseca, tenaz, que sigue enhiesta en una maceta de barro cuarteado. O debajo de la pileta de lavar la ropa. ¿Adentro de la rejilla, desde los misterios intestinos de los caños? Parece un sapo. O una rana. Incluso muchas. Una en cada escondite del patio. La mujer da un paso hacia el fresco de la mañana pero se arrepiente. La prédica de las ranas es insistente. Pero no. Tal vez más tarde, cuando vuelva. Si es que todavía las ranas están ahí. ¿Adónde irían de todos modos? Si es que son ranas. Porque las ranas vienen con el calor y todavía es apenas septiembre. ¿O no hay una temporada de ranas? ¿Vendrán de algún lado o se reproducirán ahí mismo, en el agua estancada en la pileta de lavar la ropa, en la gotera de la canilla, en los charcos que deja la lluvia en la maceta que de no llover estaría siempre seca y hosca como la tierra cuarteada del futuro en el que ya no habrá bosques ni campos ni pastos verdes? La mujer compone un gesto asqueado. Cierra los ojos y detrás de los ojos hay un millón de renacuajos empujando su evolución hasta convertirse en ranas. Todo el territorio plagado de ranas. La pileta, el agua del balde, los restos de la ducha, la pava y las ollas, el horno y los utensilios de la cocina. Por todos lados ranas. Hasta en el dormitorio, en la cama. La cama que amaneció sin ser tocada. La cama que ahí está, tendida como si fuera necesario, como si alrededor no hubiera un lío de ropas y objetos y bolsas vacías y a medio vaciar. Como si la hubieran traído en ese momento. Ranas que tal vez la esperen por la tarde para croar a su alrededor y treparse por sus piernas. Basta. La mujer cierra la puerta ventana. Levanta la lámpara del piso. Hay que comprar una bombita nueva. Dirige sus pasos hacia la puerta de calle. Se detiene. Vuelve a la cocina. La pava ya casi no tiene vapor. Apaga el fuego. De nuevo en la puerta de calle. Gira la llave una vez y otra y ya está afuera. Adentro los libros enredados en su cadena de lana roja esperarán a que ella vuelva. Se quedarán así, detenidos, señalados, pero suspendidos en la conversación interrumpida, con la palabra en la boca, conteniendo el murmullo entre las paredes de la casa.

***

La mujer hace un cono con la mano. Cierra un ojo y mira por la ventana a través del círculo de luz que le entra por la mano. Recorta un redondel que barre todo el viaje en tren. Un catalejo débil. Todo catalejo es débil. Así debe haber visto las películas el escritor ciego cuando iba al cine. Un redondel en la esquina de la pantalla. La punta de un zapato. El faro de un auto que no se sabe de qué color es. La ruedita de una mochila escolar. El cigarrillo de un vagabundo que duerme en un banco de la estación. Una pelota sobre el pasto seco. Una cortina que se vuela de la ventana de una casita de madera. La campana del timbre en el paso nivel. El tronco rugoso de un árbol. La base del mástil de la plaza. Una vidriera con electrodomésticos. Tu dedo índice haciendo sonar los hielos en el vaso. Basta. La mujer abre la mano. Se endereza en el asiento. A su lado una señora sostiene a un niño en un brazo blanco y gordo. El bebé llora y se pone rojo. La madre desenfunda una teta enorme, una topografía redonda de venas azules, ríos en un mapamundi de leche. Con el brazo libre busca una rosca en su bolso y come. La mañana todavía no es azul y ya no es roja. Es tal vez blanca o gris. Es de ese color indefinido que resalta el resto de los colores, que aplasta las formas unas contra otras, todas figuritas planas recortadas en un teatro de cartón. Le gusta el tren. Es práctico. En un colectivo tal vez se hubiera bajado y hubiera vuelto a la casa. El tren arrasa con las dudas. Va hacia adelante. Se va tragando el espacio. Tragando, tragando. Tragando, traqueteando hasta llegar a la estación central, donde sólo queda seguir a la masa que avanza hacia el subte o la plaza o las avenidas mugrientas y estridentes.

***

La mujer mira el cuadro como si estuviera en un museo. Como si no lo hubiera visto cientos de veces, como si tuviera tiempo de demorarse en la planta baja del Ministerio en lugar de estar retrasada. La sirena que le indica que debe empezar su trabajo en el quinto subsuelo parpadea en su cabeza desde hace un rato largo. Nadie va a notar si está o no está en su escritorio a esa hora, ya ha pasado los molinetes, ya ha marcado su tarjeta electrónica y ninguno de los tres escritorios restantes de la oficina 518 del quinto subsuelo se ocupará en una hora por lo menos. La sirena, sin embargo, suena. A sus espaldas los trajes, las polleras plisadas, los zapatos que rechinan en el piso lustrado, los trajecitos sastre, los maletines de cuero, las carteras en el hombro, van hacia los ascensores. Adelante está el cuadro. Es más alto que una persona alta. Hay que tomar un poco de distancia para verlo bien. Eso molesta un poco el paso. Pero a la mujer no le importa. Los murmullos de protestas parecen ni siquiera advertirle que está molestando el paso. El caballo del cuadro tiene la boca abierta. Debe dolerle la boca con las bridas tirantes. El héroe de la patria las tensa hacia atrás y los dientes del caballo se ven blancos y tal vez la comisura de los labios esté a punto de romperse o quizás ya se ha roto y el cuero de las riendas no permita que veamos la sangre abriendo la herida. El único ojo que se ve es un botón marrón, ovalado, triste. Tal vez no entienda. Tal vez se pregunte por qué ese dolor, por qué ese fuego, ese polvo, esos estruendos, ese otro caballo que ha de estar viniendo a todo galope de frente y que tendrá que evitar con un movimiento imposible del cuello. Las crines vuelan despeinadas contra el héroe de la patria. Atrás la cola mezcla sus pelos con el polvo. El sudor y la tierra harán de esos pelos lacios unas lianas pringosas y si el caballo fuera a sobrevivir a esa batalla se necesitarían varios peones y quién sabe cuánta agua para devolverle al caballo su condición de alazán colorado digno de un cuadro enorme en la planta baja de un ministerio. Pero no va a sobrevivir. Lo van a matar y se va a caer sobre la heroica pierna izquierda del héroe de la patria y le va a dar un último minuto de gloria a un soldado que de otro modo hubiera muerto como el resto de los soldados que se van a morir esa tarde. En esa polvareda de tímpanos destrozados por los cañonazos los cronistas de la patria lo van a hacer decir unas gloriosas últimas palabras y morirá contento y sabrá en ese entrevero de cuerpos muertos y vivos que han batido al enemigo y no será negro sino que será blanco y hasta hermoso en el sacrificio. Pero ahora el caballo no lo sabe, aunque tal vez lo presienta, pero no puede más que obedecer a las riendas tirantes y desesperadas de las que tira el héroe de la patria para no caerse de costado buscando un punto firme para blandir su espada que encontrará un cuello o un tórax o un estómago, o una parte cualquiera del enemigo para hundirse. Debe andar en busca de su primera sangre porque la espada se ve brillante. Va a enceguecer al enemigo con el sol que se refleja en la mitad del metal impecable. El uniforme del héroe también está impecable y su gorrita napoleónica le aplasta el pelo oscuro. Tiene un grito en la boca y las mejillas se le arrugan y tal vez el enemigo hasta se sienta un poco intimidado por ese aullido y esa cara que se pone fiera en el esfuerzo por darse coraje. Atrás, los otros, los anónimos, están desfigurados por las pinceladas difusas. Vienen atrás, defenderán la patria también pero no tendrán nombre. Y arriba, en el cielo casi blanco, una nube de fuego, redonda, iracunda, hace más azul el uniforme impecable del héroe, más impecables sus pantalones blancos, más negras sus botas en las espuelas, más ocre el polvo que levantan las patas del caballo en primer plano y también los caballos de los soldados anónimos y de los soldados enemigos que no se ven, pero se entiende que están viniendo, de frente, al choque, a matar a los patriotas, a morir contra el metal de los héroes. ¿Saben quiénes son los héroes de mi patria? Los que entraron aquí creyendo que no podían aprender nada y hoy están escoltando a la bandera. Ustedes me hacen patriota. ¿Ése fue el error? ¿Exiliar al niño de sus certezas a un desierto lleno de serpientes, leones y columnas de fuego y pedirle que resistiera? Si hubiera al menos el deseo del perdón. Basta. La mujer parece una estatua, con los brazos cruzados, la mirada fija, la cartera colgando. Un maletín le roza las pantorrillas. Las piernas se le aflojan como si el maletín hubiera apretado el botón de encendido y la mujer se hubiera apagado. La palma de la mano se apoya en el suelo frío. A su alrededor el movimiento se detiene pero nadie se acerca a levantarla. La mujer se encaja la cartera en el hombro, se pone de pie y emprende el camino hacia la escalera que la descenderá al quinto subsuelo. Afuera la mañana ya es un hecho. El fracaso de los insomnes pesa en el sol de todas las ventanas.

***

La mujer camina por la avenida. El cielo, hasta hace unos minutos apenas gris, se ha puesto oscuro, preñado de agua y de malos presagios. Fuma defendiendo su cigarrillo de la gente que pasa, más apurada, más tenaz en su afán por llegar a sus casas. De golpe el agua rompe sus contenciones y cae. Es una sorpresa mal recibida, como si no cayera agua sino fuego o bombas o salivazos. A la mujer no le molesta mojarse, pero se fastidia con los empujones y la competencia por los zaguanes y el mezquino refugio de los toldos de los negocios. Entra en un bar. El bullicio es otra forma de silencio. En la calle la lluvia, el desamparo, las botamangas escupidas por las baldosas flojas, la ropa elegida para un día de sol pegada a los cuerpos, los ruidos más sucios en el aire mojado. Adentro la madera oscura de las mesas y las sillas absorbe y expele conversaciones. Palabras, montones de palabras que forman una masa sincopada por el ruido de un vidrio, una cucharita en una taza, una risa, una vehemencia de anillos que sacuden los argumentos de una discusión. La mujer se sienta en una mesa contra la ventana. La cartera descansa en la falda como un gato gordo y negro. En la barra, un hombre toma vino con soda en un vaso largo y feo. A sus espaldas, dos oficinistas o abogados o socios se pelean por algo. No otra vez, dice uno. Siempre lo mismo, dice el otro. Cada uno tiene unos papeles en la mano y una lapicera y muestran algo que parece irrebatible. Uno se enoja más que el otro y pega con el puño cerrado en el espacio que queda entre vasos, papeles y platitos. El golpe en la mesa da un respingo en el cuerpo de la mujer, que despierta de su sopor y saca de la cartera su cuaderno, su lapicera de tinta y su libro. Lo abre en la primera página. Desenfunda la lapicera y la deja un momento suspendida entre la boca y el cuaderno. Copia el título del libro. Da vuelta la página. El nombre del autor, el título del libro, la editorial. La dedicatoria. El epígrafe en inglés. Prólogo. La caligrafía de la mujer es femenina. Arabescos, mayúsculas con adornos, vocales redondeadas, todas las panzas de las letras apoyadas en la línea del renglón. El mozo se impacienta a su lado. ¿Qué va a tomar? No había pensado en eso. ¿Le dejo la carta? La carta. Claro. Déjeme una carta. Si pudiera te escribiría una carta en la que te contara nuestro primer encuentro. Convertiría la trivialidad de un recuerdo absurdo en la fatalidad de un destino. Te invitaría a viajar a Palestina. Te hablaría de futuro. Te trataría de usted. Un café, por favor. Nada más. La mujer copia el libro. Le devuelve al texto impreso su condición de manuscrito. La copista inversa. A veces no mira el libro. No le hace falta. Entonces parece que lo estuviera escribiendo ella, que fuera de ella. Tal vez el libro sea de ella. Nadie lo ha leído más veces. Si hubiera un juicio por la paternidad del libro ella podría convencer a los jueces. El libro es mío. Alguien lo escribió, alguien me lo dio, pero el libro es mío. El mozo lleva unos instantes hablándole. Ella no entiende. Está sentada en una mesa para cuatro, ¿podría por favor cambiarse de mesa? La mujer sonríe. Quisiera hacerle un chiste. Preferiría no hacerlo. Soy la señorita Bartleby. Pero no lo hace. Sonríe otra vez. Tráigame la cuenta, por favor, ya me iba. El prólogo ya está copiado. Ocupa muchas más hojas en el cuaderno que en el libro. El cuerpo es más lento y tiene más necesidades que la máquina. El cuerpo no pierde el hilo. La máquina de escribir apunta los dictados de la burocracia. La mano arrastra a sangre las palabras. Ya no llueve. El alumbrado público estampa sombras oblicuas en los charcos. Cientos de miles de renacuajos estarán incubando su peste de ranas en esos charcos. O tal vez las ranas no sueñen en las ciudades. En todas las casas los trabajadores ya se cobijan o se aburren. Los turistas, los solos, los jóvenes habitan ahora la ciudad nocturna de entre semana. La mujer baja las escaleras y se mete en el aliento viciado del subterráneo. Le duelen los pies. Su casa es ese lugar donde puede sacarse los zapatos.

***

La mujer está acostada boca abajo en el piso. Se apoya en un codo. Con el otro brazo dibuja letras en hojas blancas. Las dibuja todas. Del tamaño de una manzana. Son hermosas. Las as y las os con sus barrigas redondas. Las pes y las efes con sus palitos oblicuos y sus pequeñas pancitas apoyadas en un renglón invisible. Las efes con sus ojales hacia adelante y hacia atrás. La mujer recorta las letras y hace una pila a un costado. Después va a cada libro donde hay una cadena colorada. Abre con cuidado cada libro y copia con letra hermosa y minúscula en la pared los párrafos marcados. Copia con un pincel de cerda mínima, con tinta china. A veces se equivoca y borra con un trapito que tiene en el bolsillo de la bata azul. Lo saca del bolsillo, lo moja con la lengua y borra con cuidado el trazo que salió mal. Pero casi siempre le salen bien. Copia una oración y después le aplica unos soplidos suaves. No sigue hasta que no ha constatado que la oración está seca, que puede pasar la mano sin que se borroneen las letras. La pared del costado, la que da al baño, la pared perpendicular a la pared donde están las tiras de supermercado, su papel protegido en celofán, la cucharita y las flechas, la pared que está a la izquierda del sillón blanco, se va llenando de oraciones dibujadas con pincel y tinta china. De su cabeza para arriba la pared sigue blanca. Busca la silla de la cocina. Se sube y estira el brazo todo lo que puede. Es más difícil. La tinta chorrea y hay que corregir muchas veces. Tiene la lengua negra de tinta. La mujer tiene que bajar a leer el libro que copia porque es demasiado pesado para subirlo a la silla y sostenerlo en una sola mano. Baja, lee en silencio, después en voz alta, lo repite, lo canta, un párrafo entero. Hace un silencio y lo dice otra vez. Ya está en la memoria. Entonces sube a la silla y se concentra en la belleza de las letras. Es que a aquella carta me ha contestado usted con esta carta que tengo ahora a mi lado, con esta carta que me produce una ridícula alegría y sobre la que en este instante pongo mi mano para sentir que la poseo. La mujer deja los acentos para el final. Los acentos no son unas rayas sin gracia. Tienen un pequeño rulito en la parte que está más cerca de la letra y se afinan hacia arriba. Escríbame otra pronto. No se tome la molestia, toda carta produce molestias, se mire como se mire; escríbame, pues, un pequeño diario, eso es pedir menos y dar más. La mujer baja de la silla y hace algunos ejercicios con los brazos. Mira el frasquito de tinta. No le falta mucho para que se termine. No importa, en la cartuchera hay más. La mujer vuelve al piso donde el libro está abierto donde la cadenita roja lo marcaba. Lee otra vez. En silencio. Después lo lee en voz alta, después lo canta, lo salmodia, una rabina en el templo, si en el templo cantaran mujeres. Después se queda callada con los ojos cerrados. Lo repite una vez más y se sube a la silla. Ay, mi amor, pese a que mi piedad ha tomado rumbo hacia muy distintas regiones, de buena gana me pondría de rodillas para agradecer a Dios tu carta de hoy. Cuando me escribas no dejes nunca de decirme, mi amor, en qué sitio estás, cómo vas vestida, qué aspecto tiene lo que te rodea. Tu carta desde el tranvía me acerca a ti de un modo casi demencial. La mujer baja de la silla. Se acuesta en el piso boca arriba. Estira un brazo y agarra las letras dibujadas y recortadas. Elige algunas, deja otras. Ay, mi amor, agradecerle a Dios. ¿Qué le agradecemos? ¿Le agradecemos la noche o lo insultamos por la mañana siguiente? Qué es la náusea frente a un niño con hambre. Qué es el amor frente a un niño muerto. Basta. La mujer gira sobre sí y cierra el libro grande, gordo, de tapas duras, cuidando que su cadenita roja siga donde debe estar. Sigue el hilo hasta el siguiente libro. Y vuelve a empezar. Leer, repetir, cantar, hacer silencio, decir de memoria, copiar. Antes de subir a la silla enciende la lámpara. La bombilla nueva ilumina con estridencia. El pincel tiene ahora su gemelo que dibuja con él contra la pared. El pincel y la mano. Los cabellos salidos del rodete le hacen una aureola en la sombra. Como una santa. Un aliento de fantasma que le dibuja un círculo alrededor de la cabeza. Las letras, sin embargo, siguen siendo hermosas.

68

3

La mujer está desnuda frente a la percha. El pelo mojado se ve oscuro contra su espalda blanca. Acaba de salir de la ducha y ya el sudor se confunde con el agua. ¿Cuánto tardarían en llevarme detenida si salgo desnuda a la calle? ¿Llegaría a la estación? ¿Lograría tomar el tren? ¿Querrían tocarme los mendigos o me darían sus monedas? La mujer toca la camisa que cuelga. Es casi transparente. A sus pies la toalla testimonia el agua que ya no está. La rondan varios mosquitos. Uno se para en el dorso de la mano. La mujer levanta la mano con cautela y lo ve meter su jeringa en la carne. El mosquito se infla de sangre y se va. Vuela ebrio hasta la pared blanca. La mujer se acerca. El mosquito no teme. No entiende. Con la mano herida le da un golpe y el mosquito es una mancha roja en la pared blanca. Después vuelve al baño y busca un repelente en aerosol. Cierra los ojos y presiona el pulsador hasta intoxicarse. Otra vez frente a la percha. Los mosquitos se mantienen a distancia. Saca la ropa y la extiende en el respaldo del sillón. El elástico de la bombacha está flojo. El corpiño debe haber sido del mismo color que la bombacha, pero ha sido lavado menos veces. La camisa, el pantalón, los zapatos. La frente suda por las sienes, sobre la nariz, en el nacimiento del pelo. La mujer levanta la toalla del piso y se seca la cara. Es un alivio el rodete. Al menos el cuello descansa. La mujer se mira las botamangas de los pantalones. Le quedan largos. Se los pisa. Se agacha y los recoge. Tres vueltas. *I grow old I grow old I shall wear the bottoms of my trousers rolled*. La mujer se sonríe. ¿Qué quiere decir, señor Marlow? Nada, pero suena bien. La mujer se pone de pie. Busca la cartera y se la cuelga en el hombro. Pesa. Abre la puerta de calle. Inspira el aire irrespirable de la mañana y sale.

***

La mujer está sentada muy erguida. No quiere tocar con la espalda el asiento del tren. Ya las piernas están mojadas. Tal vez sea mejor pararse. Pero no. Acá por lo menos entra el viento que sacude el tren. Y hay espacio. Al lado hay un señor que lee una revista dominical. Se inclina todo lo que puede hacia el pasillo para no tocarla. Todavía no se han subido los muchos que van a hacer imposible inclinarse hacia el pasillo. El recorrido recién empieza. La mujer está muy quieta. Soporta la quietud del aire en las estaciones y después respira fuerte cuando el tren se pone en movimiento. Mire, y a nosotros nos parece terrible viajar en tren. La mujer abre los ojos. El señor de al lado le muestra la revista. Diez consejos para viajar en tren por la India. ¿Para qué nos darán estos consejos? Para mí que es para que veamos estas fotos de gente colgando de todas partes del tren y no nos quejemos. La foto es impactante. El tren no se ve por ningún lado. Se adivina una forma debajo de un montón de cuerpos que han decidido no perderse el viaje. Mire, dice que usted puede comprar el boleto, pero que después es mejor aguantarse a todos los que le van a decir que compraron el mismo asiento. Imagínese el calor que debe hacer ahí. Esto que llamamos calor acá no es nada. La mujer sonríe y vuelve a cerrar los ojos. Sí, claro, siempre hay algo peor. Acá este que da los consejos dice que viajó cuarenta y seis horas en tren y que los trenes siempre salen tarde, pero también pueden salir más temprano, y que las estaciones no tienen nombre y que hay que aprovechar para charlar con las familias que seguramente se van a colar en el asiento que usted compró. ¡Ah!, y que el *chai*, que es el té de la India, es muy bueno y lo venden todo el día y toda la noche. El señor no se resigna a la sonrisa apenas amable de la mujer. La mujer abre los ojos otra vez. Voy a tener muy en cuenta lo que me dice. Nunca voy a viajar a la India y si me llevan obligada nunca, nunca, voy a viajar en tren. El señor junta las cejas. Inclina la boca hacia abajo y cierra su revista. La guarda en un maletín de cuero y se cruza de brazos. El tren llega a una estación. Se abren las puertas y entra la gente. Mucha gente. Nadie se queja. Algunos también cierran los ojos. El señor ya no puede inclinarse hacia el pasillo. La mujer murmura algo con la cabeza gacha. Un mosquito sacude sus patitas con rayas en el marco de la ventana.

***

El baño del quinto subsuelo del Ministerio no se parece a nada del subsuelo. El piso y las paredes son de azulejos que imitan el granito, las luces son blancas, perfectas. Los pequeños cubículos tienen puertas negras, con cerraduras doradas. Tres señoras con uniforme azul y cofias en el pelo se afanan con los pisos, las piletas, los inodoros. Son un equipo eficiente, rápido. Después ponen todas las herramientas de trabajo en un carrito y salen. No se han dicho nada. No cantan, no conversan, no escuchan la radio. Ni siquiera miran a la mujer que entra al baño. A la mujer que entra al baño y se tropieza con su imagen en el espejo y no sabe bajar los ojos a tiempo. Se queda quieta. Los ojos se le agrandan, la boca se le cierra. Se acerca despacio. Tuerce la cabeza, se aplasta unos pelos que se escaparon del rodete, se mira imitarse en el reflejo pero no se divierte. Se toca la cara enfrente, en el reflejo. Los dedos manchados de tinta negra quedan marcados. Huellas digitales que la incriminarán del delito de haber ensuciado. Ay, con el trabajo que debe haber dado dejarlo así. La mujer busca con qué limpiar. Abre una canilla y moja un papel de secarse las manos. La mancha se hace más grande. Prueba con jabón. El dibujo ahora es negro, espiralado, pastoso. Debajo de la pileta, en el caño, hay un trapo rejilla, retorcido y seco. La mujer lo moja, lo ablanda y le saca el agua que sobra. El espejo va mejorando pero no queda como antes. Deben haber usado un producto especial y esos secadores chiquitos para limpiar ventanas. Alguien se acerca a la puerta. Son varias. Charlan antes de entrar. La mujer se alarma, se asusta. Se apura a dejar el trapo donde estaba y se mete en un cubículo. Se sienta en el inodoro. Entran cuatro señoras. En el silencio de antes se produce un cisma, una rajadura tremenda. La mujer encoge las piernas. Cierra despacio la traba de la puerta. Es un misterio, estaba ahí, sobre el escritorio, y al minuto ya no estaba. Mucho misterio no es, ya sabemos todos quién es capaz de robar. No me gusta que hables así, porque sea pobre no quiere decir que sea ladrona. Necesidad tiene, eso no me lo podés negar. Mucha gente roba por robar, no por necesidad. Las señoras abren canillas y las cierran. Se corrigen el maquillaje en el espejo. Sacan y guardan lápices de labios, delineadores, rímeles. Que vengan los de seguridad y nos revisen a todos y listo. ¿Vos te crees que le van a encontrar algo a esta altura? Ya lo debe haber escondido en algún lugar, y andá a encontrarlo en este laberinto. Sos mala, no podés estar segura de que fue ella. A lo mejor fuiste vos y por eso estás tan interesada en acusarla. No me podés decir una cosa así, no tenés ninguna prueba. Vos tampoco y no te importa, la acusas a la pobre chica sin ningún remordimiento. Las señoras se alborotan. Palomas en un cable de tendido eléctrico sacudidas por una tormenta. La mujer se abraza las piernas. La tapa del inodoro cede un poco. No quiere romperla. Se levanta y se para contra la pared agachando la cabeza. ¿Vos no querías ir al baño? Dale, que tenemos que volver. ¿Qué apuro tenés? Ah, cierto, a ver si tu jefe no te felicita hoy. No es mi jefe, es nuestro jefe y no sé qué estás insinuando, pero estás equivocada. No sé, hasta ahora, en veinticinco años que trabajo en este Ministerio no me equivoqué nunca. Parece que llegó tu primera vez. Andá al baño o vamos. O me voy, no sé para qué las espero. Ahí voy, ahí voy. La mujer se sienta otra vez en el inodoro y levanta las piernas. La señora entra en el baño de al lado. Un chorro cae sobre el agua. Es largo, sale con presión, tarda mucho en irse apagando. El papel higiénico se desenrolla de un golpe. La descarga del inodoro sobresalta a la mujer que está al lado. Vamos, chicas, no vaya a ser cosa que llegue alguien a consultar un libro a nuestra biblioteca donde nunca viene nadie. Dale, vayamos a buscar la comida, así descansás esa lengua viperina que tenés. Las señoras se amontonan en la puerta estrecha. El silencio tarda en volver. Los azulejos de granito laten todavía el parloteo. Cables de tendido eléctrico que se mueven aunque las palomas ya se hayan ido a las plazas a buscar el maíz de la lástima o del entretenimiento. La mujer abre la puerta despacio. La pileta ha quedado toda mojada, el piso salpicado, el espejo confunde huellas de lápiz de labio, jabón, cremas. La mujer busca el trapo rejilla debajo de la pileta. Empieza por el espejo que no queda bien pero queda mejor. Después la pileta y al final de rodillas en el piso borra los rastros de las salpicaduras y los zapatos. Se pone de pie. Mira el resultado. Debajo de la pileta todavía quedan unas manchas. Tal vez no sean recientes. Quién sabe cuánto hace que están ahí esperando un trapo, un poco de agua, un producto abrasivo, o que alguien se hinque ante ellas y se dé cuenta de que son imposibles de borrar. Si tuviera un cuchillo, una espátula, mejores uñas, rasparía y saldrían. La mujer frota el trapo rejilla contra los redondeles que a lo mejor son de pintura o son pedazos de chicle demasiado viejo. Pero las manchas no se van. Otro día. Me tengo que acordar un día de traer un cuchillo. Mejor una espátula. Un cuchillo siempre trae problemas. La mujer deja el trapo retorcido en el caño que une la pileta con la pared. Se lava las manos cuidando de no mojar la mesada. Con la humedad que sobra se alisa los pelos que la coronan y los vuelve a meter en el rodete. Se mira en el espejo un momento. Endereza la espalda. Abre la puerta sin darse vuelta. Camina para atrás. Se mira hasta que la puerta se cierra y queda del otro lado. Ya no mira el espejo sino la puerta. En la habitación, las mujeres van y vienen hablando de Miguel Ángel. ¿Le sugiere algo, señor? Sí, que el tipo no sabía mucho de mujeres. La mujer mueve la boca hacia un costado. Se da vuelta y camina por el pasillo ancho, fresco, oscuro. Siete puertas más adelante, doblando la esquina del cuadrado, está su puerta. En el medio del cuadrado hay un pedazo de tierra con una palmera. Las hojas llegan hasta el segundo subsuelo. Más abajo no hay nada. O sí, hay lo que sea que haya debajo de la tierra a cinco pisos de distancia. Cinco pisos de palas mecánicas, de camiones llenos de bolsas de tierra, de obreros con cascos de minero. Todo ese esfuerzo para que ahora la mujer pueda estar frente a su puerta y encontrarse otra vez con sus marcadores negros, sus reglas caladas, sus libros de lomos enormes, sus tres compañeros que cierran la boca cuando ella entra, y vuelven a abrirla para hablar un momento después, como si la mujer fuera sorda, o fuera tonta, o fuera una planta que alguien hubiera dejado en el escritorio para después salir de la oficina dejándola otra vez libre de intrusos.

***

El calor transpira en las paredes. Si la mujer pasara su mano abierta por las casas, las entradas de los edificios, los negocios, y si después se mirara la mano o se la frotara contra la ropa, vería en la mano el sudor de un verano que ha llegado un poco pronto. El verano obrero de las grandes ciudades. El verano que no se va a ninguna parte, que no se disfruta en ninguna playa, que no abre posibilidades de conocer amigos nuevos. Un verano que suda en las paredes y aplasta las espaldas de los que caminan la ciudad queriendo y no queriendo llegar a casa. Queriendo y no queriendo subirse al colectivo, queriendo y no queriendo entrar en el subterráneo, meterse en el tren. La clase trabajadora sufre más en los extremos. El invierno que acuchilla en las madrugadas, el verano que vomita su alquitrán y retiene las pisadas a la salida de las fábricas, las oficinas, los mostradores de venta de ropa, comida, teléfonos, zapatos. Los mosquitos, sin embargo, al menos este verano que ha venido un poco pronto, hacen algo de justicia. Devoran obreros, capitalistas, banqueros, honestos, corruptos. Los cuerpos frescos en los aires acondicionados y los cuerpos embadurnados de sudor en los transportes públicos, todos huelen a repelente. Qué calor, este calor no se aguanta, a lo mejor llueve y limpia un poco el aire, si al menos no hubiera mosquitos, es una invasión, dicen que van a fumigar, siempre dicen que van a fumigar, las empresas que hacen repelente los deben haber plantado, ¿plantado?, bueno, como sea, son ellas las únicas que deben estar contentas con esta invasión de mosquitos, nunca compré tanto repelente en mi vida, a la noche sueño que voy en un avión y les tiro bombas atómicas a los mosquitos, si al menos no zumbaran, hace noches que no duermo, los odio, mi nene pobrecito parece un colador, es terrible, con este calor no se puede pensar, no se puede hacer nada. Por cualquier parte los mismos retazos de conversaciones. Como si hablar del asunto refrescara o fuera alguna forma de alivio. La mujer camina despacio. Entra en las librerías de la avenida. Son muchas. Algunas tienen aire acondicionado. En París debe hacer un frío nevado, un frío de escarcha, un frío negro sobre las luces de los monumentos. Entrar a una librería en París. Es igual. Necesita un libro con un poema de Eliot. *Canción de amor* para J. Alfred Prufrock. Todas las librerías tienen *La tierra baldía*, pero ninguna tiene el poema que ella necesita. Por la noche ha copiado en su cuaderno algunos versos citados en su libro, pero quisiera leerlo entero. Entender. Si pudiera entender cómo hay que leer. A veces le parece que logra ver algo, pero es un fantasma en una mansión llena de fantasmas. Están ahí, son una presencia que se puede sentir, pero no logra atrapar ninguno. Esta librería no tiene aire acondicionado. Pero es linda y huele a libros viejos. Tampoco tienen el poema. La mujer se queda mirando otros libros, otros poemas, otros poetas. Yo se lo puedo recitar si quiere. La señora que le habla se refriega las manos a la altura del pecho. Tiene unas uñas amarillas, comidas por algún tipo de ácido. La señora advierte la mirada de la mujer y esconde las manos en la espalda. Nunca pude limpiar con guantes, necesito sentir las cosas que limpio. Y bueno, así me quedaron las manos. Tiene una cara marrón, casi negra, y unos ojos verdes, del color de las aceitunas verdes. Le decía que si usted tiene urgencia por conocer ese poema yo se lo puedo recitar. Lo sé entero. Todo. No me cree. La señora cruza los brazos sobre un pecho plano y orgulloso. La mujer se ha quedado muda. Tiene vergüenza. Un poema de Eliot y las manos comidas por la lavandina. Quiere decirle algo, pero se atraganta, llora. No, no se ponga así, yo sé muy bien cómo es cuando a una le hace falta un poema, no un poema cualquiera, un poema en particular. Mire, venga, nos sentamos en ese escaloncito y yo se lo digo y usted lo copia, ¿tiene algo para copiar? Si no tiene, conseguimos. No, no hace falta, tengo, tengo. La mujer se deja guiar por la mano firme de la señora. Las lágrimas le siguen cayendo, pero ya es un acto reflejo, un acto del cuerpo. Ahora está contenta. Con esa felicidad desprevenida que arremete muy de vez en cuando. La señora se sienta y se abraza las rodillas. No recita como en la escuela. No hace ningún espamento, no acentúa las palabras con gestos ni con inflexiones forzadas. Sólo lo dice. Con la mirada puesta en la ciudad que se arrastra por la calle, la ciudad que pronto se irá a dormir su sueño imposible de calor y mosquitos, la gran ciudad, la ciudad hostil. Pero no mira nada. Dice su poema con naturalidad, con lentitud para que la mujer pueda copiarlo. "La niebla amarillenta que se frota el lomo en ventanales, El humo amarillento que se frota el hocico en ventanales, Pasó la lengua por las comisuras de la noche, Se demoró en los charcos que se estancan en los albañales, Dejó caer sobre su lomo hollín caído de las chimeneas, Se deslizó por la terraza, dio un salto en un chasquido Y, al ver que era una suave nochecita de octubre, Se enruló en torno a la casa y se quedó dormido. Y seguro habrá tiempo Para el humo amarillo que resbala por la calle mientras Se va frotando el lomo en ventanales; Habrá tiempo, habrá tiempo De preparar una cara para encontrar las caras que te encuentras; Habrá tiempo de matar y de crear, a una y otra punta, Y tiempo para todos los trabajos y los días de las manos Que alzan y sueltan en tu plato una pregunta; Tiempo para ti y tiempo para mí, Y tiempo todavía para cien indecisiones Y tiempo para cien visiones y revisiones Antes del té con tostadas por ahí." La mujer copia con su letra redonda, hermosa. La señora espanta con su mano blanca de un lado y marrón del otro a los mosquitos que se acercan. Los mosquitos han perdido su vuelo intrépido. Tal vez también tengan calor o tal vez estén borrachos de sangre a esta altura de la tarde. La señora los espanta con elegancia, como si fueran un mal pensamiento. No la distraen de su recitado, de su dictado. Habla, recita o dicta pero nunca pierde el hilo de lo que está diciendo. Como si las palabras se le fueran ocurriendo, como si todo viniera a cuento. ¡No! Yo no soy ningún príncipe Hamlet, ni tenía que serlo; "Soy un noble del séquito, un tipo que podrá Inflar un desarrollo, iniciar una escena o dos quizá, Aconsejar al príncipe; sin duda, un instrumento facilón, Deferente, contento de ser de cierto uso, Cauto, político y meticuloso; Lleno de frases elevadas, pero un poco obtuso; A veces, en verdad, casi ridículo; Casi, a veces, el Bufón. Estoy avejentado... Estoy avejentado El pantalón me va a quedar holgado".

La mujer vacila un momento, saca los ojos del cuaderno y mira a la señora que de pronto vuelve al escalón, a la mujer, a los mosquitos y al calor y le devuelve la mirada. Es un momento. Después la mujer sigue copiando y la señora acomete el final. "Las he visto cabalgar mar adentro las olas Peinando el pelo blanco de las olas soplado hacia atrás Cuando el viento sopla el agua blanca y negra al ras. Nos hemos demorado en las cámaras marinas Junto a chicas marinas coronadas de algas rojas con marrón en los extremos Hasta que voces humanas nos despierten y entonces nos ahoguemos." Se quedan en silencio. Los autos, la gente, los mosquitos son una masa de ruido que se instala entre ellas. La mujer cierra el cuaderno y sonríe. Gracias. Lo que usted ha hecho... Muchas gracias. No hay por qué agradecer, al contrario. No tengo muchas oportunidades de recitar para otros. La señora le toca el brazo y su agradecimiento es magnífico. Pero dígame, hubo algo que la perturbó, ¿qué fue? No es nada, fue todo muy hermoso. La señora junta la boca y levanta una ceja. No me esconda lo que piensa, yo sé que algo la inquietó, de verdad, me interesa. Bueno, es sólo que yo esperaba escuchar "Me vuelvo viejo, me vuelvo viejo, voy a recogerme un poco los pantalones". Y también "En la habitación las mujeres van y vienen, hablando de Miguel Ángel". Y usted dijo, la mujer abre el cuaderno y lee con precaución: "Estoy avejentado... Estoy avejentado... El pantalón me va a quedar holgado". Y después: "Las damas andan en ronda, hablando de Leonardo y la Gioconda". La señora se ríe y es una risa orgullosa, divertida, cómplice. Me imaginé. Lo que pasa es que si no se cambia un poco el poema no rima. Y Eliot lo hizo con rima. Mire: *I grow old... I grow old... I shall wear the bottoms of my trousers rolled.* La señora recita en inglés y las palabras son como caramelos redondos adentro de su boca. Escuche: *In the room the women come and go Talking of Michelangelo.* ¿Se da cuenta? Me tomé algunas libertades para que rimara donde Eliot quiso que rimara. El sentido es el mismo, pero a mí me gusta más así. Pero son gustos, son opiniones. La mujer vuelve a sentir vergüenza. Las palabras y ese cuerpo esmirriado, ese vestido abrochado adelante, los zapatos comidos en los talones, las uñas roídas por las mugres ajenas. No logra integrar lo que escucha con lo que ve, con lo que supone. La señora se da cuenta, pero no dice nada. Bueno, me tengo que ir, si no salgo ahora no llego más a mi casa. Que Dios la bendiga. No sé cómo agradecerle, quisiera poder, no sé, retribuirle de alguna manera. La señora se ríe otra vez y su risa es hermosa y es fresca, como si su risa no tuviera calor ni sintiera la pesadez de la humedad. No se preocupe, tómelo como un regalo de Navidad. Todavía falta un poco, pero creo que tenemos derecho a regalarnos cosas cuando se nos da la gana. La mujer se pone de pie y le tiende la mano a la señora. Pero la señora no se la toma, se acerca y la abraza. Para abrazarla la mujer tiene que encogerse un poco. Le resulta todavía más inverosímil en los brazos. La señora le da unas palmaditas en la espalda y se aleja. La mujer se queda parada, tiesa, apretando su cuaderno blanco. Se toca las mejillas. Las vuelve a estirar con la sonrisa. Una vez y otra. Como si no estuviera en la vereda, parada en los pliegues de una ciudad que suda, como si no fuera un banquete para mosquitos, como si estuviera ensayando muecas frente a un espejo, en un cuarto cerrado, preparándose tal vez para una cita o quizás aflojando los músculos para salir a escena. Después mete el cuaderno en la cartera y se pierde también ella entre la gente.

***

La mujer tira de la orejita de la lata. Adentro hay granos de choclo. Amarillos, perfectos. Tira de la orejita de la otra lata. Ensalada jardinera. Arvejas verdes, zanahorias y papas cortadas en cubitos del mismo tamaño. Pone todo en un plato. En la mesa hay un cajón. Lo abre y saca una cuchara. Se sirve un vaso de agua y un vaso de whisky. Se sienta, abre el libro y come. Come sin mirar. Mastica muchas veces. Lee. Compré un libro de bolsillo y lo leí. Puse el despertador a las 6:30 am. El libro me asustó tanto que escondí dos pistolas bajo la almohada. Era sobre un tipo que se había rebelado contra el jefe de los matones en Milwaukee y sufría una paliza cada cuarto de hora. Me imaginé que su cabeza y su rostro ya no serían más que un pedazo de hueso con algo de piel hecha jirones. Pero en el capítulo siguiente estaba más fresco que una rosa. Entonces me pregunté por qué leía esa basura cuando podía estar aprendiendo de memoria *Los hermanos Karamazov*. No encontré ninguna buena respuesta, así que apagué la luz y me fui a dormir. La mujer descansa la mirada un momento en el plato. Quedan algunos granos de choclo y dos arvejas verdes. Se toma el vaso de agua. Hace algunos buches. Va hasta la pileta y llena otra vez el vaso. Se lo toma parada y vuelve a la mesa. Marlow, no te cases con Linda, es un error. Los detectives y el amor se llevan mal. En la cocina hay una luz que cae justo sobre la mesa. El whisky es amarillo, ámbar, espeso. La mujer se quema la boca con un trago. Suda enseguida. Se lo toma todo. Se marea un poco cuando va a buscar más, pero se lleva la botella a la mesa. Se tira un chorrito en la mano donde la picadura de mosquito se ha convertido en una llaga de tanto rascarla. La mujer lee agarrando el libro como si la mano fuera un atril, apoyando el codo en el estómago. Lee y toma sorbos de whisky. En el cajón de los cubiertos también hay lápices. Abre el cajón y saca un lápiz que tiene una punta muy afilada. Apoya el libro en la mesa y subraya algunos párrafos. Ser un *loser* es la condición de la mirada crítica. El que pierde tiene la distancia para ver lo que los triunfadores no ven. *Winner takes nothing*. El vencedor no gana nada. Estamos a salvo, mi amor. Yo por lo menos. La mujer tiene los ojos más chicos, rojos, hinchados. Se levanta y lleva el plato a la pileta. Lo lava y se lava la cara, el cuello, se deshace el rodete y se moja la cabeza. Se lo vuelve a hacer y se lleva el libro al sillón blanco. El respaldo tiene una mancha amarillenta dibujada por su espalda. Abre el libro y se abanica con otro, más finito, más maleable. Apoya un momento la cabeza hacia atrás, se da viento de un costado y del otro y vuelve a bajar la cabeza y a meterla dentro del libro. Salí y allí estaba Amos, esperándome con el Cadillac, para devolverme a Hollywood. Quise darle una propina, pero no la aceptó. Me ofrecí a comprarle los poemas de T. S. Eliot. Dijo que ya los tenía. La mujer se levanta y agarra otro libro, azul, de tapas duras. Busca pasando las hojas despacio, con cariño. Encuentra. Me senté en la orilla a pescar, con la árida llanura a mi espalda, ¿pondré al menos mis tierras en orden? La mujer mira sus paredes escritas. Dice en voz alta: Hasta que voces humanas nos despierten y entonces nos ahoguemos. Y lo dice otra vez. Y otra. Después cierra los libros en la falda y se acurruca en el sillón. Cierra los ojos. Tal vez se duerme. En todo caso está quieta y muda y los mosquitos pueden hacer con ella lo que quieran.

4

La mujer está en la cama. Tiene los ojos abiertos. El despertador todavía está lejos de empezar a llamarla para que se levante. Qué sentido tiene quedarse esperando. Mejor salir de una vez. La decisión toma unas partes del cuerpo, pero otras se resisten. Qué sentido tiene salir de la cama. Las sábanas son un revoltijo, un diseño de sudor seco y nuevo. La mujer sale de la cama y mira con asco el lugar donde estuvo acostada. Arranca sábanas, fundas de almohadas y las pone con violencia en un rincón desocupado de la habitación. Busca en una pila y encuentra sábanas limpias. Tiende su cama, la alisa con las manos, queda perfecta. Va con las sábanas y fundas sucias al patio. Todavía está oscuro. Aunque la claridad ya se adivina en el borde de la medianera. La mujer abre la canilla de la pileta del patio y se moja la cara, la cabeza, el cuello. Después mete la ropa de cama en la pileta. Debajo de la pileta hay jabón blanco y un cepillo de cerdas duras, hostiles. Raspa las sábanas hasta casi romperlas. Las enjuaga, las huele, las vuelve a lavar. El patio está cruzado por una soga. Camisas, pantalones, medias. Nada dura mojado más de un rato. La mujer recoge la ropa seca y cuelga las sábanas y las fundas de las almohadas. Llena un balde con agua y se lo tira encima. Una vez, otra, y otra más. Se saca el camisón o vestido viejo y lo cuelga también en la soga. Se queda desnuda en el patio. Un rato. Se sacude como un perro peludo y entra a la casa. Se envuelve en una toalla. El despertador todavía duerme. Se viste despacio en la penumbra de su cuarto. Algunos dedos de luz ya se cuelan por la persiana. Antes de salir mira su cama. Afirma con la cabeza y aprieta los dientes. Vamos, vamos, hay mucho que hacer.

La estación es fea. O es linda de tan fea. No hay más que unos bancos puestos a distancias irregulares por todo el andén, un lugar para comprar los boletos, un molinete para controlarlos, aunque se puede saltar con facilidad, y un techo mínimo para resguardar de la lluvia a los pasajeros, aunque no a todos. La mujer está sentada en un banco. En el andén de enfrente un tren se detiene pero no recoge a nadie. Nadie quiere ir más afuera de la ciudad. No tan temprano al menos. Seguro debe haber algún trasnochado que esté volviendo, algún trabajador nocturno, alguien que por alguna razón quiera ir todavía más allá. Pero ninguno sube en esa estación. La mujer tiene un libro en la falda pero no lee. Sólo lo tiene. Como a un niño o como a un gato. Pasa la mano por las páginas. Cabello de niño, pelo de gato, lectura braille. Llega el tren. Se abren las puertas. La mujer no se sube. Cruza las piernas, apoya la cabeza en el pecho y cierra los ojos. ¿Para qué? ¿A quién le importa? La mujer abre el libro. Respira. Se obliga. La tropa está quebrantada moralmente, famélica, los pies ensangrentados y tan hinchados que ya no entran en lo que resta de calzado. Están a punto de derrumbarse. Sólo en las profundidades de sus órbitas aparece una débil y minúscula luz que brilla en medio de la desolación. Llega otro tren. La mujer ya no está sola en el andén. En cada vagón se suben pasajeros, apurados por encontrar un asiento. La mujer sigue en su banco. No, hoy no. Mañana. O nunca. Basta. La luz se vuelve caliente. Los que perdieron el tren por poco se abren las camisas, se abanican con diarios, con papeles de propaganda, con abanicos de verdad. La sombra pequeña del techito se llena pronto. Sólo la mujer está sentada en un banco al martirio del sol. El resto se hace pantalla con la mano y mira en dirección a donde debería venir el tren. Como si fuera útil. Como si la mirada atrajera al tren que tiene que venir. Las hojas del libro estallan de luz. La mujer tiene que ponerse muy cerca para no encandilarse. El guerrillero como elemento consciente de la vanguardia popular debe tener una conducta moral que lo acredite como verdadero sacerdote de la reforma que pretende. A la austeridad obligada por difíciles condiciones de la guerra debe sumar la austeridad nacida de un rígido autocontrol que impida un solo exceso, un solo desliz, en ocasión en la que las circunstancias pudieran permitirlo. El tren llega. La mujer se pone de pie. No puedo. Hoy no. No quiero. Camina hasta el borde. ¿Sube, señora? La mujer se deja empujar al interior del tren. Ya no hay asientos libres. Queda casi contra la puerta contraria. Delante de ella una espalda mojada en una camisa a cuadros. Apoya la cabeza en esa espalda que de todos modos no notará la diferencia. Llora, pero otros sudan y podría estar llorando o transpirando. Vamos, vamos.

***

La mujer está sentada en un banco. Fuma. Detrás, la palmera con sus cicatrices y sus hojas enormes en lo alto está quieta. Si hubiera viento no llegaría hasta ahí abajo. Pero no hay viento. Adentro, en los pasillos, los techos altos, el espacio ancho, las columnas de mármol, conservan un fresco que tiene algo de catacumba. En los talleres y las oficinas hay ventiladores y hasta aires acondicionados en algunos con más suerte o más jerarquía. En el banco junto a la palmera hace calor. Entre los pies de la mujer ya hay tres cigarrillos fumados, acabados. El cuarto está cerca de morirse también. La brasa llega al filtro. La mujer lo aplasta con el zapato. Junta los restos y los lleva en la mano hasta un tacho de basura. Entra en el pasillo opaco, triste y largo. Camina. Pasa despacio por todas las puertas. Da una vuelta entera por el cuadrado que rodea el patio de la palmera. No entra en ninguna. Emprende otra vuelta. Camina despacio. Eligiendo las baldosas. El centro. Las líneas. Después el borde, casi tocando el patio, rodeando las columnas. Las puertas son de madera y tienen un número grabado en bronce. Todos empiezan con el cinco. La mujer se detiene frente a una puerta que tiene una ventana. La ventana está abierta. Adentro hay cinco o seis hombres alrededor de una mesa. Entre la puerta y la mesa hay un mostrador con un espacio abierto por el que probablemente entre una persona. En la mesa hay expedientes despanzurrados. En el medio, sobre un mantelito blanco, una fuente con galletitas, unas cajas con arandelas de cartón, ganchos dorados con dos patitas y una planta que se alimenta de la luz de tubo, blanca, sucia, raquítica. Las cabezas de los hombres están metidas en los papeles. Los brazos se mueven por encima. Arañas manipulando papeles, ganchitos, arandelas, sellos foliadores, lapiceras y llevándose galletitas a las bocas. La mujer los mira. Se acerca a la ventana que tiene, ahora lo nota, un pequeño estante hacia adentro con una lapicera atada a un cordón. Un hombre se levanta de la mesa y pasa, de perfil, por el hueco del mostrador. Se apoya en el estante y mira las manos de la mujer. ¿Vino a traer un expediente para refoliar? Mire que está fuera de horario, no le voy a poder recibir nada. No, no, yo, no, no traje nada. Los expedientes los lleva el cadete a las nueve treinta y a las diecisiete horas. No lo puede venir a buscar nadie. No, no, yo no vine a buscar nada. ¿Qué necesita? ¿Por qué interrumpe así el trabajo de la gente? ¿No se da cuenta de que todo el trabajo se ha detenido para nada? Hasta que yo no vuelva a sentarme mis compañeros no pueden continuar. ¿O usted piensa que es un capricho que tengamos horarios de atención? No, no, disculpe, yo, no, no fue mi intención. No le quito más tiempo. Fue un error, yo sólo estaba caminando. Sí, claro que fue un error. Un error que para usted no significa nada y a nosotros nos va a salir carísimo. Pero vaya, no se preocupe, si acá el trabajo no le importa a nadie, no crea que es la única que interrumpe. La mujer retrocede. Toca una columna con la espalda. Se lleva una mano al pecho, baja la cabeza y vuelve a caminar. Camina rápido. Vuelve a llegar pronto frente a la misma puerta pero no se detiene. Se sienta en el banco junto a la palmera. Enciende un cigarrillo. Acá el trabajo no le importa a nadie. A nadie. ¿Dónde está el trabajo? Mi trabajo. ¿Estarás vos en mi trabajo? ¿Te seguirá importando tanto? ¿Le importará a mi trabajo que yo no esté ahí? La mujer se cruza de piernas. Cierra los ojos con fuerza. Apoya los pies otra vez en el piso. Los dos pies. Se pone de pie, apaga el cigarrillo contra una columna y lo tira en el tacho de basura. Levanta la cabeza, respira con fuerza y cruza el patio en diagonal. Se detiene frente a la puerta de madera que tiene una chapa de bronce con el número 518. La abre con decisión y se sienta en su escritorio. Se han acumulado ya dos libros sobre su mesa. La mujer se pone uno entre las piernas, mira la lista de números, tacha uno y se pone a pintar con el marcador negro dentro de las reglas caladas. No preguntes. No te preguntes. Hay mucho que hacer. Vamos.

***

La mujer camina despacio. Va por una calle estrecha. Se detiene frente a un kiosco a comprar cigarrillos. Es un kiosco mínimo, apenas el espacio de una puerta. Galletitas, caramelos, chupetines, cigarrillos. Del lado de afuera, en la vereda, duerme un perro. Tiene el lomo negro sobre un pelo largo, lacio, marrón. Un lobo flaco, sucio, venido a menos. La mujer paga los cigarrillos y vuelve a caminar, despacio, más despacio. Abre el celofán de su atado de cigarrillos y después la caja y después la golpea para hacer salir el primero que va a fumar camino a casa. Saca un encendedor del bolsillo del pantalón y aminora la marcha para prenderlo. Baja la cabeza y ahí está el perro. No, no te convengo. Andá a buscar a otro. La mujer le toca el hocico al perro y el perro mueve una cola cansada, vieja, alegre. Caminan lento, la mujer y el perro. Antes de llegar a la avenida, en el escalón alto de un edificio, la mujer se sienta y el perro también. Hace calor para estar tan cerca, correte un poquito para allá. El perro tiene la cabeza apoyada en los pies de la mujer. No se mueve. Bueno, como quieras. La mujer se apoya contra la pared fría y fuma. Termina el cigarrillo y estira las piernas. El perro se acuesta al lado. Todo el lomo contra las piernas de la mujer, que cierra los ojos. Dormirse así. Dejarse ir y dormir. Hay muchas formas de congelarse. No hace falta estar en Alaska. La mujer acaricia al perro con los ojos cerrados. Ciega, de memoria, saca de la cartera el cuaderno y la lapicera. Le saca el elástico, busca la cinta sedosa que señala la última página que escribió, y escribe. Ciega, de memoria. Entrar en un sueño cálido, entrar despacio, meter los pies en el sueño, un sueño sin imágenes o con imágenes de postal, sacarse los zapatos y meter los pies y que se vayan durmiendo, primero los pies, después las mejillas y la nariz, después las manos y al final todo. Y eso es la dignidad. No resistir. La mujer abre los ojos. Cierra el cuaderno y guarda la lapicera en la cartera. El cuaderno también. Saca los cigarrillos. Apoya toda la espalda en la pared y mira hacia arriba. De la A hasta la J y del 1 hasta el 14. Doscientos treinta y ocho timbres. Doscientas treinta y ocho familias. Tal vez novecientas cincuenta y dos personas. Qué fea sorpresa para toda esa gente encontrarse a una mujer muerta con un perro en la entrada. La mujer sonríe. Enciende un cigarrillo y se pone de pie. Vamos. El perro se levanta sin ganas. En la avenida hay mucho ruido. No hay autos. Bombos, cantos, banderas. La mujer se queda en el cordón de la vereda a esperar que pasen. Pero la columna es larga. Una cuadra, dos, tres, cinco, siete. A veces hay algunos claros entre bandera y bandera. La mujer cruza. El perro también. Algunos se molestan pero nadie protesta. El perro se traba en las piernas de algunos manifestantes pero nunca pierde a la mujer que se mueve con determinación, con firmeza, con rabia. En la otra vereda está la boca del subte. Hasta acá llegamos, mi amigo. Perdoname. No puedo, no tengo. Vamos, vamos, no te pongas así. Seguro vas a encontrar a alguien que pueda. La mujer le acaricia el morro una vez más. Después baja las escaleras. Se da vuelta y el perro todavía está ahí, mirándola con la cabeza un poco ladeada. La mujer vuelve a poner un pie en la escalera, pero se da vuelta y baja el segundo tramo. Pasa el molinete y ya está entre la multitud esperando el subte. Vamos, vamos. Vamos.

***

La mujer está sentada en el sillón. Los brazos caen a los costados. En una mano un cigarrillo intenta embocar sus cenizas en el cenicero que está justo debajo, en el piso. En la otra un lápiz se mueve hacia un lado y hacia el otro. La mujer mira su pared. La constelación es ahora enorme. Planetas de autores, asteroides de frases, cientos de trayectorias unen unos con otros. En el centro, las tiras de supermercado, el papel envuelto en celofán y la cucharita, son una piedra angular, un recuerdo de que el ovillo ha empezado una vez por alguna parte, un sol muy pequeño en un sistema solar que ya va cobrando dimensiones de universo. La mujer tiene un camisón liviano o quizás sea un vestido viejo. Está flaca. Los huesos de las caderas son un paréntesis que sobresale cuando se pone de pie. La ceniza se pierde en el piso. Se acerca a la pared. Viaja con los dedos por las flechas que unen y separan lo que lleva escrito. Movimientos precisos, largos, mínimos. Astronautas escrutando agujeros negros. ¿Dónde estás? ¿Qué tengo que hacer? La mujer se da vuelta y apaga lo que queda del cigarrillo. A sus pies los libros hacen fila contra la pared. Los lomos hacia afuera, con su trenza roja entrando y saliendo de muchas páginas. El zócalo queda oculto detrás de la fila de libros. Va a la cocina, llena un vaso con agua y se lo toma. El mediodía blanquea el patio. Lo hace incandescente. La mujer llena y vacía otras dos veces el vaso. Después se lava la cara y se moja el pelo. ¿A quién le escribirás ahora los domingos? La mujer se seca las manos con un trapo, se las seca muy bien, las mira de un lado y de otro para ver que estén limpias y secas. Vuelve a su sillón y abre su libro. Podríamos hablar de una lectura en situación de peligro.

Son siempre situaciones de lectura extrema, fuera de lugar, en circunstancias de extravío, de muerte, o donde acosa la amenaza de destrucción. La lectura se opone a un mundo hostil, como los restos o los recuerdos de otra vida. No sé quién serás ahora. Pero tus cosas. Tus cosas deben seguir ahí. Querido vaso: Querida almohada: Querida silla: te pido que soportes el peso de su cuerpo, te pido que no rechines de modo de recordarle otros besos, te pido que te acerques a la mesa y que lo ayudes a escribir, que cuando apoye la frente en los brazos sobre la mesa no le duela la espalda. Que no le duela nada. La mujer camina por la casa. El calor le mancha de transpiración el camisón o el vestido viejo. En su habitación ya no hay bolsas negras, pero tampoco hay ningún ropero. Hay dos sillas de donde cuelgan perchas con ropa preparada. En el piso, contra las paredes, ropa doblada. Una valija abierta. La mujer se sienta a mirar cosas. Es bueno no tener fotos. Aunque si tuviera fotos me gustaría tener una en especial. Una foto. Sería una foto con muchos árboles. No se verían nada más que árboles, pero yo sabría que en uno de ellos, subido a una rama alta, gruesa, hay un hombre harapiento leyendo un libro. La habitación está en penumbras. La mujer se acuesta sobre el piso. Arruga la cara. Aprieta todos los músculos de la cara. Cierra los puños. Después los abre y deja que la cara se caiga hacia los costados y las lágrimas mojen el parqué. Pero se levanta. Se marea un poco por el impulso. Camina hasta su sillón. De un lado el cenicero, del otro su cartera. Saca su atado de cigarrillos. Quema con la brasa una angustia que todavía quiere quedarse. Vamos, vamos. Hay mucho que hacer. La mujer respira y ya el aire que sale no se tropieza con casi nada. Respira el cigarrillo entero. Ahora se pone de pie y parece menos flaca, menos transpirada, menos descalza. Recorre su fila de libros, su fila contra la pared, de pared a pared. Elije uno y vuelve a su sillón, a su lápiz. Enciende otro cigarrillo pero este cigarrillo queda huérfano de su atención. La frente se hace cargo de todo el esfuerzo de ese libro. El día se va apaciguando en el patio. La planta muerta descansa del martirio del sol. El jinete amarillo ya ha cabalgado su muerte y su abismo y ahora sólo queda una humedad pringosa que no cederá ni a la noche ni al inevitable fresco de la madrugada. El libro que lee ahora la mujer tiene una tapa dura y verde. Las páginas amarillean un poco en los bordes. Su lápiz marca párrafos, hace anotaciones en los márgenes. De pronto algo la absorbe hacia adentro del libro. La mujer da un pequeño grito, un grito ahogado, algo que podría estar entre un grito y una risa o una exclamación triunfante. Va hacia la pared y busca un marcador rojo. Une con su pequeña nave espacial planetas que antes estaban solos o visitados por astronautas de otras vías lácteas. Kerouac, Gramsci, Guevara, Trotsky y Proust quedan ahora unidos por este nuevo viaje intergaláctico. Es casi de noche. La mujer está contenta. Se mete en el baño y se ducha mirando sin ver los azulejos. Lava el camisón o vestido viejo. Salen juntos de la ducha, la mujer y el vestido. Lo abre y lo ventila y se lo pone mojado. Con la casa ya oscura camina hacia su habitación y se acuesta en la cama. Con las piernas y los brazos abiertos trata de conservar el fresco que se irá muy pronto. Y recibe con gratitud el sueño que tan pocas veces la visita.

***

En el silencio de la casa, donde la mujer duerme a pesar del calor, de la humedad, de los malos pensamientos, un sonido entra y sale a intervalos regulares. La mujer se sobresalta. Mira el reloj que está al lado de la cama. Son las diez de la noche. Está desconcertada. ¿Qué es ese ruido? Un teléfono, claro, un teléfono. Su teléfono. Ha estado tanto tiempo mudo que la mujer había olvidado que en la cocina tenía un teléfono. Nadie tiene mi número. ¿Quién podría llamarme? La mujer intenta correr por la casa oscura, pero el cuerpo dormido todavía no le responde. Cuando llega el tubo del teléfono se le escapa como un pez que no quiere salir del agua. Buenas noches, ésta es una encuesta para medir audiencia televisiva. ¿Qué edad tiene usted? Presione 1 si tiene menos de 18 años, presione 2 si tiene entre 18 y 29 años, presione 3 si tiene entre 30 y 49 años, presione 4 si tiene entre 50 y 65 años, presione 5 si tiene más de 65 años o presione asterisco para repetir la pregunta. La mujer se queda paralizada, con el tubo del teléfono pegado a la oreja. No sabe si está asustada o violenta. O si le causa gracia. Lleva el tubo hacia el aparato pero se detiene. Vuelve a escuchar. Le gusta la voz de la grabación. Presiona números en el teclado que adivina en la oscuridad. Responde una pregunta y otra y otra. En su hogar ¿poseen un decodificador o cajita para ver televisión digital o televisión de alta definición HD? Presione 0 si no poseen ningún tipo de decodificador, presione 1 si poseen un decodificador para televisión digital por cable o satélite, presione 2 si poseen un decodificador para televisión de alta definición HD por cable o satélite, presione 3 si poseen un decodificador para televisión digital abierta, presione 4 si poseen un decodificador pero no sabe de qué tipo, presione 5 si no sabe, o presione asterisco para repetir la pregunta. La mujer sonríe. Aprieta botones en el teclado y repite palabras. En su hogar. Posee un decodificador o una cajita. Presione si no sabe. Gracias por su tiempo. La voz grabada ahora guarda silencio. La mujer tarda todavía unos minutos antes de poner el tubo sobre el teléfono. Mi tiempo. Entonces el tiempo es mío. O hay un tiempo que es mío. La mujer se queda sentada en la oscuridad de la cocina. Como si hubiera quedado aturdida o demasiado nerviosa para ponerse de pie. Después va hasta la pileta, llena un vaso con agua y se lo toma. Vuelve a la cama pero no cierra los ojos. El sueño se ha perdido pero al menos queda una cierta calma. Esperar el día. Ya llega, ya llega. No moverse. No generar calor. Vamos. Vamos.

5

La mujer está sentada en el patio. La madrugada se ha puesto muy fría. El viento cargado de lluvias futuras entra a la casa. La lámpara está encendida. Se sienta en el sillón con las piernas recogidas. Mira su pared. Tal vez sea buena idea una ducha caliente. Hay tiempo todavía. O un té caliente. Las dos cosas. La mujer va a la cocina. Pone la pava. El agua que hierve la despabila. Se hace un té con mucha azúcar y se mete en el baño. Abre la ducha. El vapor empaña los azulejos y el espejo y le limpia las vías respiratorias. Debajo del agua caliente se toma el té. Despacio. Hay tiempo. Qué lástima no haber traído la ropa al baño. La mujer se raspa el cuerpo con una esponja enjabonada. Se lava el pelo. Está muy largo, demasiado largo. Sale de la ducha y busca en los cajones. Encuentra una tijera grande, de orejas negras. Vuelve al agua y baja la cabeza. Retuerce el cabello que cuelga y corta cinco, seis centímetros. Después lo retuerce hacia el otro lado y vuelve a cortar. En un costado de la bañadera quedan dos mechones gordos, marrones, muertos. Cierra las canillas, sale, se envuelve el pelo en una toalla y el cuerpo en otra y se queda sentada en el inodoro un rato. Sale del baño corriendo en puntas de pie. En su cuarto la ropa colgada de la percha la espera. Implacable. La mujer se viste rápido. La ropa le duele un poco en la piel. Pero igual se apura. Hace frío para estar desnuda. Se peina con los dedos. Todavía el pelo se deja enroscar en el rodete. No se pone el saco. Un poco de frío en la piel irritada está bien. Vuelve al sillón y recoge los libros que se quiere llevar. Los pone en la cartera. En el patio, la planta muerta se ve más muerta y más sola en la luz fría de la mañana. La mujer ladea la cabeza para mirarla. Está torcida. Murió cuando medía como un metro de alto. Aunque tal vez no esté muerta. Quizás sea una planta sin hojas, sin ramas, sin nada. Un palo clavado en la tierra. Un cayado que espera como la espada de Arturo, que venga el verdadero pastor y la saque. Y predique o traiga desgracias para convencer a los obstinados. La mujer cierra la puerta ventana. La casa queda en penumbras. Afuera la luz es lechosa y fea.

**

Es demasiado temprano para ir al Ministerio. Sin embargo la mujer ya está en la calle, vestida como si fuera a una oficina aunque se va a pasar el día manchándose las yemas de los dedos con marcador negro. Camina despacio, con los ojos cerrados. En los brazos desnudos se ve una erupción. Sobre la piel blanca, traslúcida, unas úlceras a punto de infectarse. Tal vez hayan empezado como picaduras de insectos, pero ahora le dan un aspecto enfermo, maldito. Lleva el saco en la mano. Después se lo pondrá para ocultar esas heridas rojas, redondas y más tarde las mangas del guardapolvo marrón claro ocultarán todo. Una brisa fría mueve un poco las hojas de los árboles. Camina por la calle. No hay autos, sólo camiones que van a abastecer almacenes y supermercados. Un camión blanco dobla en la esquina. Se detiene frente a la mujer que no atina a correrse y queda detrás. Se abren las puertas de la cabina y bajan dos muchachos. Tienen guantes de lana. Unas gorras con visera y encima de la cabeza y del cuerpo unas bolsas de arpillera marrones. Van hacia la parte de atrás del camión y manipulan manijas y candados y se abre el telón y detrás los cuerpos muertos de las vacas cuelgan de tres rieles. De todo el ganado muerto, éste es sólo un camión. Un camión no muy grande. Cuántos camiones estarán abriendo sus puertas de atrás en este momento, bajando los cadáveres descabezados de las vacas, mostrando sus costillares ya sin pelo ni cuero, los órganos abiertos al frío del camión, al calor de la vereda, al cuchillo del carnicero, al gancho del que cuelgan. Carne muerta ya sin chorrear sangre. Fría. Casi no hay vaca en la carne. No queda ni campo ni pastura ni terneros ni toros ni mirada vacía. Comida. Ya no se llama vaca, se llama carne, se llama comida. Cuántas vacas habrán muerto al mismo tiempo hoy, ayer, el día anterior. Cuántos caballos, bueyes, cuánto ganado menor. Y no habrá sido Dios pero habrá sido en nombre de Dios. Porque así es la ley. Matar para comer. La mujer siente una náusea en la boca del estómago. Otra vez salió sin desayunar. Camina, casi corre hacia la estación. Compra su boleto y se sienta en un banco a esperar el tren que vendrá vacío o apenas ocupado por obreros y mucamas. Hay tiempo. Llegará demasiado temprano pero al menos estará en movimiento.

***

La mujer está frente a su escritorio. Tiene puesto su guardapolvo beige y un libro gordo de tapa dura entre las piernas. Con una regla calada pinta números en el lomo. Sobre el escritorio tiene una lista de números que va tachando. Tiene los dedos negros de tinta. La tarea parece requerirle toda su atención. Ya no hay más libros en su escritorio, para seguir trabajando después de éste deberá esperar a que el señor de al lado termine con el libro que está encuadernando. Pero eso no sucederá pronto. Cada uno trabaja al ritmo del anterior. Hasta que el que está encolando los boletines oficiales que la señora del primer escritorio ordenó por fecha un momento antes no termine, él no va a terminar. Son una máquina en la que falla un engranaje. La mujer no encaja. Los otros tres hablan, hacen ruidos, escuchan y comentan su radio, toman té, toman mate, calientan comiditas en el anafe. La mujer trabaja en silencio. A veces la miran, como si fuera un animal muy tranquilo del que de todos modos es mejor desconfiar. La mujer termina su tarea. La radio grita con su estridencia de latas viejas. No hace ningún gesto. No deja las reglas caladas ni tapa el marcador negro. Aprieta entre las rodillas todavía su libro. Con lentitud, casi sin respirar, pone el libro sobre las piernas. Gira despacio y queda de frente a un armario metálico. Abre el libro en cualquier parte. VISTO el Expediente Nº S01:0420449/2010 del Registro del **MINISTERIO DE INDUSTRIA, y CONSIDERANDO: Que** mediante el expediente citado en el Visto, el entonces Secretario de Industria y Comercio, Sigue vigente para hoy la alerta meteorológica por posible caída de granizo en la ciudad, teniendo en cuenta lo establecido en el Artículo 14 del Decreto N° 1.393 de fecha 2 de septiembre de 2008 instruyó a la ex- SUBSECRETARÍA DE POLÍTICA Y GESTIÓN COMERCIAL de la ex- SECRETARÍA DE INDUSTRIA Y COMERCIO del MINISTERIO DE INDUSTRIA y a la COMISIÓN NACIONAL DE COMERCIO EXTERIOR organismo desconcentrado en la órbita de la ex-SECRETARÍA DE INDUSTRIA Y COMERCIO del citado Ministerio. Hay alerta por tormentas fuertes o severas para la Capital y GBA, el Río de la Plata y centro y norte de Buenos Aires. Entre la tarde y noche, las tormentas podrían alcanzar una intensidad fuerte, acompañadas por caída de granizo, ráfagas y fuerte actividad eléctrica, para que "... en el ámbito de su competencia, determine si se encuentran reunidas las condiciones para iniciar de oficio la correspondiente apertura de investigación..." Según el Servicio Meteorológico, este aumento en la intensidad de las lluvias afectará, sobre todo el norte de la provincia de Buenos Aires, la Capital Federal, Río de la Plata y el sur de la provincia de Entre Ríos. Las tormentas serán fuertes en cortos periodos de tiempo, referida a las operaciones de exportación hacia la REPÚBLICA ARGENTINA de toallas, incluso en juegos o surtidos, originarias de la REPÚBLICA FEDERATIVA DEL BRASIL mercadería que clasifica en las posiciones arancelarias de la Nomenclatura Común del MERCOSUR (N.C.M.) 6302.60.00, 6302.91.00, 6302.93.00, 6302.99.10 y 6302.99.90. ¿Qué pasó con la radio? Son las pilas. Te tocaba a vos comprar pilas. Hay que tener cuidado con el granizo. Tomate el mate que te lo dejé hace rato. Por suerte guardé el auto. El auto no es nada, una vez cuando era chica hubo una tormenta de granizo que mató a los animales que habían quedado afuera y un viejo que vivía al lado quedó en coma como tres días. Salió en los diarios. No exageres. Está un poco frío ya el mate. A mí lo que me preocupa es que este clima de mierda me va a matar todas las rosas. No, yo no quiero mate hoy, ando con acidez. Las cuido como a princesas para que venga una lluvia con piedras y me las haga pelota. No exagero nada, te juro que fue una tormenta que parecía que se iba a acabar el mundo. Después vino la invasión de la langosta y nos tuvimos que venir acá. El campo es lindo pero estás muy esclavo del clima. Tomá, nena, acá tenés el libro terminado. Una preciosura. No lo arruines con números mal pintados. Yo no sé por qué te importa. ¿Quién va a consultar estos mamotretos ahora que está todo en las computadoras? No hables así, ¿querés quedarte sin trabajo o que te manden a otro lado? No, no quiero. Pero me da lástima. Tengo los dedos todos cuarteados de tantos años de andar con estos papeles para nada. Para nada, no. Para que nosotros podamos jubilarnos acá. Sí, tenés razón. Voy a arreglar el mate. ¿Vos querés un té? Bueno, haceme. Tanto hablar de lluvia me dio frío. La mujer toma el libro recién encuadernado y se lo pone entre las piernas. Mira el lomo un momento y después apoya la regla calada. Podría terminar el trabajo en un minuto. Pero no. Hay que administrar el tiempo. Estirarlo, hacer coincidir las costuras para que el trabajo y el tiempo de irse coincidan. Faltan horas para irse. Hay tiempo. Todavía.

***

No hay trenes. Un accidente. Está todo el servicio suspendido. La mujer camina hacia un lado y el otro del andén. Debería salir, correr junto con los otros a buscar otra forma de volver a su casa, pero no hace más que caminar de un lado al otro del andén. El viento junta papeles que las manos soltaron o se soltaron de las manos y los hace bailar alto, alto. Hay que caminar empujando al viento. Ir de perfil para oponerle menos resistencia. Las piedras del granizo todavía no llegaron. Ni siquiera llueve. La mujer llega al extremo del andén que da al *hall* central de la estación y sigue de largo. Por todas partes quejas, bufidos, insultos. ¿Hasta cuándo, Señor, hasta cuándo? Un señor con un bolso cruzado al pecho aprieta los dientes. No se resigna. Busca a alguien que lo escuche, alguien que de verdad le diga hasta cuándo. La mujer sale a la calle. La plaza está cruzada por filas de gente esperando subirse a un colectivo. Nadie puede vender nada en sus carritos. Todos los brazos están ocupados en defender la mercadería del viento. En una esquina de la plaza hay unas diez mujeres vestidas de blanco. Son monjas o son bailarinas africanas o lavanderas de un cuento infantil de otro tiempo. La mujer saca de la cartera el cuaderno y la lapicera de tinta. Diez mujeres vestidas de blanco. ¿Qué esperan? ¿Están realmente ahí o son un sueño? No están en ninguna fila. No caminan. Sólo están ahí como esperando que se complete el número. Tal vez deberían ser doce o veinte. Tal vez estén esperando a las compañeras y se quedarán en la plaza resistiendo al viento hasta que lleguen. La mujer avanza escribiendo en el cuaderno. Salgo al camino. Voy a tomar por la avenida y voy a caminar hasta que se detenga el viento. O hasta que me sangren los pies. O hasta que suceda la transformación y me convierta en otra. O hasta que haya algún encuentro y alguien me invite a vivir su vida. La mujer se ríe. Nadie la escucha porque no hay oído que soporte una risa. Pero la mujer se ríe. Escribe en el cuaderno y se ríe. ¿Qué haría el niño

100

cuando hacía tanto viento? ¿Dónde iba a dormir? ¿O venía conmigo cuando hacía frío o llovía o el calor era insoportable? La mujer cierra el cuaderno. Lo guarda en la cartera. Ya no se ríe, pero en la cara algo de esa risa todavía queda. En los ojos, en las mejillas, en la nariz un poco estremecida. Levanta la cabeza, se sostiene el pelo con una mano y mira los carteles de las paradas de colectivo. Busca su lugar en la fila. Se abraza a la cartera y espera. La lluvia, el granizo, las ramas arrancadas de los árboles, las calles anegadas, las piedras rodando por el barro, también esperan. Esperarán que oscurezca y que la mujer se suba al colectivo y pueda ver el desastre por la ventana. Como una película. Cine catástrofe en las afueras de la ciudad. La lluvia caerá y el granizo caerá y todo quedará roto y mojado y sucio, y la mugre de la ciudad será la consecuencia o quizás la causa del diluvio. Pero ahora todavía es el antes. Y cuando se baje del colectivo será el después. La mujer podrá pensar que es una señal, que salvarse de la lluvia y de las piedras es un buen presagio. Sin embargo no pensará nada.

***

En el patio quedan cascotes de hielo. El viento ha logrado tirar la maceta de la planta muerta. El balde todavía rueda de una punta a la otra. Adentro hay algunos manchones de agua cerca de la ventana de la habitación y de la puerta ventana. Ahora, sin embargo, todo está en calma. Hay viento pero es una canción que tiene su ritmo. Un ritmo agradable. La mujer va a su habitación y se saca la ropa. La deja en una bolsa donde ya hay otra ropa y se pone un pantalón de algodón grueso, una camiseta de franela, un pulóver y unas medias de lana. Se estira hacia arriba y hacia abajo. Da un giro completo con la cabeza. Camina hasta la cocina y enciende el fuego. Abre la alacena y saca un sobre de sopa. Pone el contenido en una taza y después lo disuelve con el agua caliente. La mujer bebe de a pequeños sorbitos parada en la cocina. Deja la taza en la pileta y va a su sillón. Todavía en la bolsa de la librería tiene un libro. Es de una librería de viejo. La mujer lo abre despacio. Huele las páginas. Mira la tapa, la contratapa. No hay fotos ni imágenes. Un diseño sobrio color crema con unas líneas rojas y en el medio el título y el autor. La mujer parece no decidirse a leerlo. Como si le tuviera un poco de miedo. ¿Por qué no? Trotsky. ¿Por qué no? Abre el libro. Encoge las piernas en el sillón y mete adentro la cabeza. Tiénese a la infancia por la época más feliz de la vida. ¿Lo es realmente? No lo es más que para algunos, muy pocos. Este mito romántico de la niñez tiene su origen en la literatura tradicional de los privilegiados. Los que gozaron de una niñez holgada y radiante en el seno de una familia rica y culta, sin carecer de nada, entre caricias y juegos, suelen guardar de aquellos tiempos el recuerdo de una pradera llena de sol que se abriese al comienzo del camino de la vida. Es la idea perfectamente aristocrática de la infancia, que encontramos canonizada en los grandes señores de la literatura o en los plebeyos a ellos enfeudados. Para la inmensa mayoría de los hombres, si por acaso vuelven los ojos hacia aquellos años, la niñez es la evocación de una época sombría, llena de hambre y de sujeción. La vida descarga sus golpes sobre el débil, y nadie más débil que el niño. La mujer levanta la mirada. Nadie más débil que el niño. No. Nadie. Deja un momento el libro en la falda, se frota los ojos, se aprieta las sienes. Afuera el viento se ha puesto más violento. La mujer se pone de pie y abre un poco la puerta ventana. Tiene que disputarle la puerta al viento. Vuelve a llover. Se escuchan romperse contra el piso del patio las piedras de hielo. Cierra la puerta y se sienta en el sillón. Abre el libro otra vez. Se moja los labios con la lengua, arruga la frente y se pone el libro en las rodillas que ha subido apoyando los pies en el sillón. Lee. En las largas horas del invierno, cuando la nieve de la estepa envolvía por todas partes la aldea, llegando hasta el alféizar de las ventanas, mi madre gustaba de entregarse a la lectura. Sentábase en el banquito triangular de la estufa que había en el comedor, con las piernas puestas en una silla, o se acomodaba en el sillón de mi padre, junto a la ventana cubierta de hielo, ya atardecido, y se ponía a leer, mascullando la lectura en voz alta, una novela toda manoseada, traída de la biblioteca pública de Bobrinez, y conforme leía, iba pasando por las líneas sus dedos encallecidos. Muchas veces, perdía las palabras y deteníase en las frases más difíciles. Y no era raro que alguno de sus hijos le interpretase de palabra lo leído, aunque cambiando el sentido de raíz. No importa; ella seguía leyendo, obstinada e incansablemente, y en las horas libres de los tranquilos días invernales oíase ya desde la puerta el rítmico mascullar de su lectura. La mujer sonríe. El rítmico mascullar de la lectura. La mujer busca el lápiz en la cartera que está en el piso, a la izquierda del sillón. El libro se lastima con la punta afilada del lápiz. La mujer anota en el margen sin piedad, hiriendo todavía más la hoja amarillenta, gruesa, rugosa. Constantinopla. Detener la acción para poder escribir. "Siempre quise ser escritor." Trotsky, el escritor fracasado, por lo tanto el político irreal. El viento parece cambiar de dirección. O tal vez sean varios vientos que luchan por el patio. O quizás sea el balde lo que quieren. El balde ahora se azota contra las paredes. La maceta rueda con dificultad. Está vieja para ser de nadie. Y la planta está muerta. La mujer cierra el libro y muerde el lápiz. Piensa. Mira su pared. Todavía no es tarde. Es un libro gordo. Quizás por la mañana ya lo haya terminado. Va a la cocina y se prepara un té. Vuelve a su libro con la taza contra el pecho. Las hojas se defienden y le rasguñan las yemas de los dedos. Un libro arisco. Hagámonos amigos, Liev. Ya es tarde, llueve, caen piedras, todos están muertos, pero nos queda hacernos amigos. Y pasar la noche.

6

La percha se comba un poco en los hombros por el peso del sobretodo. La madrugada es oscura. Sólo el reloj sabe que ya no es de noche. La mujer está sentada en el sillón, de espaldas al sobretodo, de frente a su pared. Casi no quedan espacios en blanco. Los ojos se asoman de una frazada pesada y la lámpara, como un soldado en posición de firmes, se ocupa de dibujar un círculo de luz sobre el libro que tiene en la falda. La mujer no lee. Respira el calor debajo de la frazada. Sería bueno leer una novela inglesa. Un dulce enredo en la campiña que termine bien para todas las hijas casaderas. La mujer asoma una mano y cierra el libro que tiene en la falda. Usa guantes sin dedos. Se pone la frazada como una capa y enfrenta la percha. Tolstói no va a matarme con un tren. Nadie tiene un comportamiento más virtuoso que yo. La mujer cierra los ojos y deja caer la frazada de un golpe. Saca el sobretodo de la percha y busca la ropa que cuelga debajo. Se pone los pantalones sobre el piyama y las medias largas. La camisa encima de la camiseta de franela. El pulóver negro escote en V sobre la camisa. Las botas no quieren comerse esos pies gordos de medias, pero al final tragan. El sobretodo le queda un poco grande pero se ve abrigado. Del bolsillo izquierdo saca cuatro horquillas. Se hace el rodete de memoria y lo sostiene con las horquillas largas, negras, peligrosas. Del bolsillo derecho saca un paquete de cigarrillos y un encendedor. Fuma y camina por la casa. En el patio detrás de la puerta ventana se escucha rodar a la maceta con la planta muerta. Las hojas que entraron de la calle traídas por el viento se golpean contra las paredes del patio. La mujer va hasta la cocina y pone una pava en el fuego. Se queda mirándola mientras el agua se calienta y después hierve. Busca un saquito de té en la alacena y saca una taza de la pileta. No está lavada pero está apenas manchada de otros tés. La mujer toma la bebida caliente apoyada contra el mármol de la mesada. La frente le transpira un poco. Aunque la casa no está calefaccionada, está demasiado abrigada para estar adentro. Termina el té, deja la taza en la pileta, vuelve al sillón, pone dos libros en la cartera y abre la puerta de calle. El viento la recibe como si la hubiera estado esperando. Se sostiene de un poste de luz hasta que el viento afloja el abrazo. ¿Habrá sentido Ana Karenina cuando se bajó del tren que ese viento que casi la voltea le estaba avisando algo? Viento que quiere tirarla a las vías, tren, Vrodsky que la sorprende justo cuando ella estaba pensando en él. Si ella hubiera leído ese capítulo se habría dado cuenta de que Tolstói iba a matarla al final. El frío le muerde la cara y el cuello, pero la mujer se suelta y avanza. Camina con los brazos cruzados. Debajo de la niebla, detrás del bramido del viento, sentada sobre una

nube oscura, la estación del tren la espera para ponerse
en movimiento.

**

Siempre hay una isla donde sobrevive algún lector, como
si la sociedad no existiera. Un territorio devastado en el
que alguien reconstruye el mundo perdido a partir de la
lectura de un libro. La mujer está sentada en el sillón verde del tren. Ciertamente no es de terciopelo pero es verde.
Y está de espaldas a la puerta. El libro se deja leer de memoria. En las estaciones el tren se anuncia con la fanfa-
rria de los timbres de las barreras. La mujer hace vapor
con su aliento contra el vidrio de la ventana. Dibuja arabescos y después borra el dibujo con la manga del sobretodo. En la casita de madera donde en alguna época
tenía sus cosas el guarda, donde tal vez las tenga todavía
si esa figura sigue existiendo, entran un chico y una muchacha. Primero ella con mirada recelosa, después él, la
cara marcada por una cicatriz. Ella debe tener un marido y él debe estar dispuesto a matarlo al final de la tarde. Ella se irá de la pequeña cabaña por el camino que
va al norte y él la verá correr con el pelo suelto. Caminará escondiéndose entre los árboles con el puñal tibio debajo de la camisa, en la bruma malva del atardecer. La
alameda, la casa, los perros que no ladran, las escaleras,
la galería, el salón azul, las dos puertas, el sillón alto de
terciopelo verde, la cabeza del marido que asoma por
un costado. ¿Será feliz ella después de esa muerte? ¿Po-
drán disfrutar de alguna clase de libertad? ¿Habrá sido
el marido este tan cruel, tan despreciable, tan perverso
como para que la puñalada sea justa? Seguramente ella,
que es muy joven, fue casada de niña con ese señor mayor y acomodado. Él debe someterla a raciones iguales

de maldad e indiferencia. No la debe llamar por el nombre. Debe decirle, vení, andá nomás, correte, haceme, ponete, no llores que me irritan las mariconadas, un día me vas a dar un hijo y vas a estar contenta, adónde te querés ir si ni tu madre te quiere. El tren ha llegado a una estación. Nadie baja. Suben a empujones montones de personas. Sube también el ciego que baila en los vagones. No habrá lugar para bailar en este tren. Igual se las arregla para pasar entre la gente agitando su lata de monedas. Cualquier ayuda que ustedes me quieran dar será bienvenida. Por pequeña que sea es una bendición para mí y para mi familia. Dios los proteja a todos y que tengan un excelente día. El ciego no necesita su bastón porque el camino está trazado por la dificultad que le oponen los cuerpos. La mujer se avergüenza del espacio que ocupa en su asiento. Cierra los ojos con el libro abierto contra la cara. Adivina el tiempo por las estaciones que van pasando. El final del recorrido siempre huele a comidas rápidas aunque sea temprano, tan temprano, así de temprano. Huele a urgencia y a comida y también huele a resignación y a hambre. Sigue oscuro en la calle. Una ciudad de estatuas y fantasmas envueltos en tinieblas.

***

La mujer está sola frente a su escritorio. Hace más de una hora que los demás se han ido a sus casas. Se pone de pie y sale. Camina por la galería. La mayoría de las puertas están cerradas pero hay una que está abierta. La mujer se asoma con cautela. Adentro hay un señor sentado en un banco redondo frente a una mesa de madera larga. Sobre la mesa hay una máquina de escribir desarmada. La carcasa de un azul metálico se ve extraña sin las teclas, sin el carro. El señor trabaja con un trapito y un pomo del que salen gotitas de aceite. ¿Qué hace tan tarde por acá, querida? Entre, ya que está haga algo. Cébese unos mates o alcánceme las teclas. La mujer mira para los costados. No sabe si realmente le está hablando a ella. Pase, pase, no se quede en la puerta. Adentro hay máquinas de escribir de distintas eras. Mecánicas muy viejas, altas, como clavicordios. Eléctricas casi modernas. Máquinas con su valija de cuero negro. Máquinas verde agua, celeste chillón, elegantes y negras, sobrias, máquinas apiladas en un rincón, máquinas ordenadas en otras mesas. Las rescaté del naufragio, venga. Usted se preguntará por qué hago esto si nadie las usa. Qué sé yo, me dan pena. Y acá abajo nadie se entera de lo que hacemos. Un día se acordarán de mí y de ellas y nos tirarán a todos a la calle. Pero mientras tanto, acá estamos. La mujer sonríe. ¿Funcionan? Claro, ¡me ofende! Por supuesto que funcionan. Bueno, no todas. Ése es mi desafío personal. Cuando termine con todas me voy. ¿Puedo escribir algo? La mujer señala con el brazo la puerta, el pasillo, la otra oficina. Sí, sí, vaya, busque, no me voy a ir a ningún lado. La mujer corre hasta su escritorio. Busca su cartera y vuelve. Tenemos dos horas, después vienen y nos echan. El señor se para y busca entre las máquinas. Ésta, le recomiendo ésta. ¿Tiene papel? No se preocupe, acá tenemos. La mujer saca su cuaderno. Todo el libro está copiado ahí. Pone la hoja en el rodillo y copia. ¿Lo escribió usted? No, no, es un libro que me gusta mucho. Ah, entiendo. El libro que se llevaría a una isla desierta. Sí, ese libro. Bueno, mi querida, yo a mi isla me llevaría cosas para arreglar. Usted tiene su libro. La vamos a pasar bien cuando naufraguemos. ¿O usted dice que el barco ya se hundió? No se preocupe, no importa. No la interrumpo. Yo sigo con lo mío. Cuando lleguen los de seguridad nos vamos. La mujer copia. Copia sin mirar el teclado, como le enseñaron alguna vez. La mujer ideal. La copista, la lectora. La esclava, la criada que se somete a la escritura. Copia sin mirar el teclado y sin mirar el cuaderno. Copia lo que recuerda y lo que cree recordar. El señor la mira desde su máquina desarmada. Va hasta la pequeña cocinita escondida en un rincón y prepara un mate. Se sienta cerca, aunque no muy cerca, y le va cebando mates. Hace mucho tiempo que no tomo mate. La mujer sonríe y no quiere sonar triste. Pero es triste no tomar mate. Nadie que cebe un mate, no cebarle mate a nadie. No le gusta tomar mate sola. Hace bien. El mate es para compartir. Copie, copie, olvídese de mí. Cuando se termine la pava nos vamos, pero puede volver mañana. Puede volver cuando quiera. Acuérdese de que acá a nadie le importa. Ya se van a acordar de nosotros, pero mientras tanto... Copie, copie. El señor sonríe y la cara se le enrolla en muchas partes. Tiene unos ojos que alguna vez deben haber sido azules, pero ahora son grises. La mira con ternura de padre o de maestro. Copie, copie. Afuera hace un frío de locos. Dicen que no se ve a un metro de distancia por la niebla. Dicen que a lo mejor hasta nieva. ¿Se imagina? En esta ciudad no nevó nunca, el escándalo que se armaría. Sería lindo igual. Imagínese qué linda la ciudad toda blanca. Aunque mejor naufragar en una isla del Caribe, ¿no? Pero bueno, yo tampoco me callo nunca, al final la voy a confundir y le va a salir todo mezclado lo que está copiando. La mujer copia y se le acumulan hojas al costado de la máquina. Cuando se apagan las luces del pasillo ya tiene unas cuantas. Vamos, señorita. Seguimos mañana, que nos van a dejar acá encerrados. La mujer guarda el cuaderno en la cartera. En la mesa hay un cajón flaco y largo. Lo abre y deja ahí sus hojas. Mañana sigo. Gracias. Después de mi horario, no quisiera que mis compañeros se enojaran. No, claro. Eso nunca. La espero. Con mate. Y le prometo que hablo menos. Yo también tengo mucho que hacer. La mujer sale y vuelve a su oficina. Se saca el guardapolvo marrón claro, lo cuelga en el armario y se pone el sobretodo. Después toma el ascensor y sube a la superficie. Afuera es de noche. No nieva pero el frío es ya una jauría de perros rabiosos.

***

El andén del subterráneo está desierto. No, no desierto. Una señora está en la escalera contando monedas con los niños alrededor. Un chico tararea frente a su micrófono con el mentón apoyado en la guitarra. Una muchacha, aunque de cerca es más vieja que joven, calienta los músculos. Tal vez baile o actúe. Lo que no hay en el andén es público ni compradores ni nadie que dé limosna. El subte debe haberse ido recién llevándose a todos los pasajeros. Pasan diez minutos, quince, veinte. Un racimo de gente por acá, otro por allá. La luz blanca y fea se va manchando de cuerpos que buscan su lugar en los bancos, contra la pared, en el último escalón de la escalera. El cantante convierte su tarareo en una canción y logra silencios y hasta un aplauso final. Algunas monedas, algunos billetes, pocos. La muchacha o vieja con cuerpo de muchacha abre las piernas y extiende los brazos en cruz. Está en el otro extremo del andén. Puede cantar o declamar tan fuerte como quiera porque el cantante está muy lejos. La mujer se acerca despacio. Quiere escucharla y quiere no escucharla. Da un poco de vergüenza tanta convicción. ¿Qué es más noble para el alma, sufrir los golpes y las flechas de la injusta fortuna o tomar las armas contra un mar de adversidades, y oponiéndose a ella, encontrar el fin? Morir, dormir… nada más; y con un sueño poder decir que acabamos con el sufrimiento del corazón y los mil choques que por naturaleza son herencia de la carne… La muchacha no tiene una calavera en la mano. No tiene nada. Sólo su voz que resuena en el eco del andén y deja mudos a los que esperan. De cerca la muchacha no es joven pero es bella. Su piel es muy blanca. Incandescente en la luz blanca y fea. Es una belleza melancólica que hace estremecerse. Porque si ahora que está acá abajo, cautiva de esta pobreza, exponiéndose al ruido, al aire viciado, al público que puede, si quiere, golpearla con su indiferencia, si ahora es tan hermosa, cómo habrá sido cuando era realmente joven, cómo sería en un escenario de verdad. Por el túnel se ve venir el tren. La boca del túnel es un aliento espeso, brumoso, negro, herido por las luces del tren. La muchacha, profesional, termina justo antes y les da tiempo a los que quieren a poner algo en el sombrero que ofrece. Después todos se suben y ella queda sola en su sector del andén. Una actriz en el desierto.

**

El sol se puso negro como ropa de luto. La luna quedó ensangrentada y los astros cayeron del cielo como higos verdes cuando la higuera es sacudida por un fuerte viento. El cielo se replegó como un pergamino que se enrolla. La mujer está sentada en su sillón y lee la Biblia. La Biblia que en el Apocalipsis se engolosina con metáforas y comparaciones. La Biblia de los sueños afiebrados de

111

terror y morbo y esperanza. Si Robinson sobrevivió veintiocho años en su isla sólo con este libro entonces es un libro bueno. Los libros de la isla. Invócame en el día de la angustia y te libraré y tú me darás gloria. Ahora la mujer lee caminando por la casa. Llega hasta la ventana que da a la calle. La abre y el viento helado le da un cachetazo en cada mejilla. Las luces del alumbrado público manchan la niebla de un amarillo triste y húmedo. En la muerte no hace frío. Eso se acabó. ¿Adónde van las almas de los niños muertos para satisfacer la ira de Dios? ¿Tiene alma el amor? ¿Vagan juntas las almas muertas por la misma mano? La mujer cierra la ventana y vuelve al sillón. La noche ya es vieja pero el día todavía no nació. En el limbo insomne del sillón la mujer se esconde debajo de la frazada. Saca una mano y busca su cartera. Adentro hay libros, lápices, cigarrillos y también cosas compradas en los trenes. Encuentra la linterna. En su cueva lee siguiendo el redondel de luz que se mueve en la hoja. Escribe algo en el margen y enciende un cigarrillo. Esto tal vez sea peligroso. Acomoda la frazada para que quede una chimenea por donde salen su respiración y el humo y el olor de su cuerpo flaco. Rotan en las manos y en la boca el lápiz, la linterna, el cigarrillo. Mano, mano, boca. Cigarrillo, linterna, lápiz. Los dedos amarillos, la saliva seca, los ojos rojos. No es fácil retener la noche. Tampoco es fácil empujarla. El tiempo viaja en un tren sin estaciones. Y no le importa nada de los cuerpos que se despedazan en las vías.

III

Fuimos empujados en un viento desolado...
sombras de una sombra que tornaba del pasado.
Fuimos la esperanza que no llega, que no alcanza,
que no puede vislumbrar su tarde mansa.
Fuimos el viajero que no implora, que no reza,
que no llora, que se echó a morir.

HOMERO MANZI

EL HOMBRE y la mujer están en el auto. Adelante y atrás
una fila se ha ido acumulando. Todavía la tormenta no
llegó, el viento es apenas tan horrible como siempre,
pero los que son del lugar saben catar ese olor, ese tamiz
en el cielo, esos colores diferentes, y entender que la nieve caerá y enterrará todo lo que esté en el suelo. Todo.
La mujer y el hombre llevaban cinco años sin verse. Éste
no es el primer encuentro. Ya se han saludado hace meses, ya han trabajado juntos en ese lugar de locos en el
fin del mundo que ni siquiera queda al final del mundo.
Porque el lugar que queda en el fin del mundo al menos
tiene ciertos atractivos turísticos. Este pueblo es seco,
ventoso, helado, amarillo, plano. Al fondo, sí, se ven las
montañas y el blanco de la nieve, pero acá abajo más que
nada es ruido. Ruido de cosas levantadas por el viento,
ruido de ventarrón contra los árboles, ruido de ventanas
sacudidas, ruido de viento revolviendo el pelo en las
orejas. Ya se han visto y se han saludado como dos pro-
fesionales, como dos amigos antiguos que compartieron

113

cosas importantes, como si aquella noche, cinco años atrás, hubiera sido un sueño, como si el muchachito muerto y descolgado de la soga hubiera sido una tragedia familiar antigua de la cual es mejor no hablar. Como si ella no se hubiera escabullido en la ciudad abandonando a todos, a todo, y sobre todo a él. Él es estoico o tal vez es el último enamorado de la tierra, ese que es capaz de esperar que el mundo, el azar o la mano de Dios ordene las cosas y se la devuelva. Sigue esperando. Porque el destino los ha juntado en un nuevo desafío imposible, otra institución con otros niños que no se dejan ayudar, con otros adultos que odian a los niños. Los ha juntado pero no los ha juntado. Él hubiera querido besarla, desde el principio, dormir con ella, rasparle la cáscara hasta dejarla como aquella noche, desnuda de sí misma. Pero la mujer parece haberse prometido alguna cosa. Todo en ella es un castigo. Siempre va desabrigada, trabaja hasta desmayarse, los nudillos pelados del frío y de los sabañones, el pelo un poco sucio de no querer meterlo en el agua que nunca es caliente del todo. Quiere verse fea. Pero es hermosa. Es hermosa porque nunca piensa en la belleza. Él se había cansado de tanto silencio, de tantos meses de puro trabajo sin hablar de nada. La había llevado al lago, o a lo que todos ahí llamaban el lago, que no era más que un charco muy grande que tal vez hubiera sido cristalino si el viento no amontonara tanto polvo y ramas y porquerías. El lago o lo que fuera estaba congelado y algunos locos se aventuraban a patinar o a resbalarse encima como si no estuvieran en ese pueblo sucio, sino en alguna ciudad turística, europea, por qué no Rusia o Noruega o quizás hasta el Central Park. Ellos habían estado mirando en silencio el espectáculo un poco aterrorizante de los niños siempre a punto de mo-

114

rir ahogados en algún agujero que se abriera en el hielo. Él podía ser muchas cosas extrañas, incluso un loco, pero no era cobarde, así que la había abrazado y le había dicho: No seamos estúpidos, mi amor, tratemos de ser felices. Ella le había devuelto el abrazo, había querido creer que semejante cosa era posible, lo había besado inclusive, pero después se había hundido otra vez en el silencio. Ahora están en el auto, atascados, la policía impide que regresen hasta que no se despeje el camino de unos árboles que el viento destrozó. Las órdenes son contradictorias. No se puede andar pero hay que apurarse porque cuando venga la tormenta no se va a salvar nadie. Ella lo mira. Le toma las manos y lo mira. ¿Sabés qué hice después de que me fui? No espera respuesta, sabe que él no tiene idea, que la debe haber odiado por ese abandono, que es un milagro que esté ahí a pesar de esa crueldad. O tal vez sea un creyente, un místico, y la realidad material no signifique nada para él. Me metí en mi casa, dice, no en la casa de antes, en otra casa. ¿Te acordás de que me diste un libro esa noche? Tampoco espera respuesta, por supuesto que se acuerda. Él se acuerda de cada detalle de esa noche. Se acuerda de haberle recitado *Los heraldos negros,* se acuerda de haber comido mandarinas, se acuerda de que ella no quería hacer el amor, que tenía miedo, se acuerda de haberla casi obligado a dejarse amar y que después ella parecía la mujer más feliz del mundo, que tenía ánimo de fiesta, que hablaba del futuro, de escaparse de todo, de irse a algún lugar donde nadie los conociera. Se acuerda de que ella chupó la cucharita del desayuno y se la puso en el bolsillo de la camisa y le dijo que ésa iba a ser a partir de ese momento la única cucharita del mundo. Y se acuerda, claro, de haberle dado el libro, de haberle dicho que ese libro había estado entre ellos desde hacía mucho tiempo. Te va a gustar, le había dicho, si lo leés bien vas a ver que habla de nosotros. ¿Sabés qué hice? Leí el libro. Lo leí cientos de veces. Lo copié. A mano. A máquina. Lo escribí en la pared. Leí todos los libros que estaban nombrados en cada ensayo. Lo leí en voz alta. Lo canté. Y en un momento te escuché. Ya no era yo la que leía. Era tu voz. El hombre se saca los guantes y los pone debajo de sí. Se sienta encima de los guantes. ¿Por qué no me escuchás ahora? ¿Te gusta más el invento de mí que yo mismo? La calefacción está encendida, pero pronto va a tener que apagarla. No se puede gastar todo el combustible, hay que dejar la cantidad suficiente para salir de ahí. Si no pudieran moverse cuando la nieve empezara a caer sería la muerte. Y la muerte, ¿sería tan mala la muerte? Hace cuatro meses que el hombre llegó en un tren que tenía las ventanas pardas de haber absorbido cientos de kilómetros de polvo. No había nadie más que ella en la estación. Hacía un frío imposible y ni siquiera había llegado el invierno. Al principio no pudo verle los ojos porque el pelo se sacudía en todas direcciones y le ocultaba la cara. Le impresionó que estuviera tan tiesa. En ese frío la gente tiende a moverse, a sacudir las piernas, a evitar que los miembros se congelen. Pero ella estaba inmóvil. Ella y la estación parecían vestigios de una civilización incendiada. Hacía cinco años que no sabía nada de ella y de pronto había recibido una carta. No era una carta de amor. Era una carta que omitía de manera tan explícita que una vez se habían amado que hacía pensar que el amor estaba ahí, intacto. Le pedía que fuera a ayudarla en esa otra patriada. Setenta y cinco chicos presos en un lugar horrible, con gente horrible, que por razones que no venían a cuento le habían encargado a ella. La única referencia a la tragedia del suicidio del chico en la institución anterior era una frase corta, críptica: a lo mejor esta vez podemos hacerlo mejor. El hombre había querido resistirse, no responder, enojarse, destruir la carta, mudarse para que nunca más pudiera encontrarlo. Pero no había podido. Había llorado frente a la carta. Toda la fuerza acumulada durante cinco años para resistir el dolor se había caído contra el piso y se había quedado inerme, débil, asustado. Todas las mujeres con las que había intentado no el amor, pero sí la compañía, la alegría pequeña de una cena o de un desayuno luminoso, todas esas mujeres habían perdido de pronto contorno, cara, cuerpo, quería recordarlas y no podía, quería pensarlas como argumento y se desdibujaban en la memoria. Había querido no responder pero había respondido. No una carta porque no podía mentir ni tampoco decir la verdad, pero le había mandado un telegrama. Llego en el tren del viernes. Y nada más. Una valija con mucho abrigo porque ella se había explayado mucho sobre el frío, en lo terrible del frío, en lo insoportable del frío. Él había querido entender que ella le pedía algo de su calor, que la abrigara, que la cobijara del frío, pero sabía que siempre había sido muy torpe. Decía cosas que tal vez querían decir otras pero nunca se daba cuenta. Aunque ¿quién era esa mujer cinco años después? Él mismo quería creer que era otro. Pero ahí estaban, en el auto, con las ventanillas empañadas de sus alientos, hablando por primera vez de lo que había pasado entre ellos, si es que esas referencias podían llamarse hablar, y eran los mismos. Daba una desesperanza aterradora entender que eran los mismos, porque aquéllos habían destruido lo que podría haber sido, y si eran los mismos el final iba a ser igual. Pero ahora es ahora. Ahora él se ha sacado los guantes y le acaricia la cara. Ella quiere mirarlo y lo mira, pero sus ojos quieren irse lejos y lo logran, porque ahora miran el pasado con angustia y el futuro con escepticismo.

La mujer de pronto deja de fijar los ojos en él y lo mira. Sonríe, casi se ríe. Fue divertido el otro día. El hombre se fastidia un momento pero entiende. Hay una lengua a la que no se puede acceder así sin más. Vamos a hablar de trabajo, otra vez, como siempre estos meses, nos vamos a encontrar ahí y ahí seremos los que siempre fuimos, los que fuimos siempre antes del amor. Sí, fue divertido. Me gustó ver las caras de los monigotes cuando entraste sola al dormitorio lleno de humo. ¡Y la cara de los chicos! Sí, eso fue divertido. Me encanta hacer eso con vos, ya había pasado antes, sabés, pero con vos fue una fiesta. Sí, conmigo es una fiesta. Ella está luminosa. Tal vez se sienta más segura en esos temas, o quizás los recuerdos de ellos dos compañeros, únicos capaces de reducir un incendio a un juego, la regocijan, la ponen feliz. Él la escucha contar en primera persona lo que vivió con ella, lo que ya escuchó tantas veces, lo que recordó con dolor todos esos años. Busca mientras tanto en la guantera y saca un disco. Cuando empieza a sonar la alegría se opaca. Querés llevarme a esa noche, ¿no? ¿Vos creés que me olvidé? ¿Por qué querés hacernos ir a un lugar donde sólo podemos sufrir? Esa noche no sufrimos. No, pero la mañana siguiente Dios nos castigó. ¿Sabés que hice el cálculo de la hora? Mientras hacíamos el amor, él se moría. Se ahorcó en el mismo exacto minuto en el que te dije que nunca me había pasado una cosa así, en el mismo minuto en el que me dijiste te quiero. Vos dirás que estoy loca, y es cierto, pero después pensé mucho en eso. Mientras leía el libro y recitaba de memoria, pensé mucho en eso, en si nuestra noche hubiera sido diferente o si no hubiera existido o si hubiéramos cambiado algún detalle pequeño, si tal vez quién te dice, en vez de dejarme sacar la ropa me la hubiera sacado yo misma, si en vez de leerme *Los heraldos negros* me hubieras leído un poema de Miguel Hernández, si en vez de decirme te quiero me hubieras preguntado si yo te quería...

El pasado no cambia, linda, pero podemos cambiar nosotros, que miramos el pasado. Porque yo pienso de otro modo. Si esa noche no habría existido, si esa noche hubiera sido otra, yo no hubiera sobrevivido a la muerte de Diego. El hombre dice Diego y sabe que está nombrando lo que ha sido callado durante cinco años. Lo sabe y lo ve. Ella se mete la cara entre las manos enguantadas y no llora pero aúlla. Escuchame, dice él, escuchame. Cuando te fuiste yo también me fui. No enseguida, pero me fui. Viví tres años en la costa, dando clases en una escuela para ricos en la que nadie quería escuchar nada de lo que yo tenía para decir. A la noche me iba al casino. Todas las noches. Nunca jugué una sola moneda. Tomaba whisky en la barra. Me llevaba una prostituta cada vez. Al final me quedé con una. Creyó que la iba a salvar. Me soportaba con estoicismo. Todas las noches le llevaba un vino feo y le hablaba de vos. Después nos íbamos a la cama y la lastimaba con mi cuerpo honesto. Porque mi honestidad le hacía creer que se me iba a pasar, que un día iba a dejar de amarte y que me iba a enamorar de ella. Vos dirás que lo que hice fue una porquería y tendrías razón, pero esa porquería fue mejor que morirse, porque sin nuestra noche yo me hubiera muerto. Cuando vos te fuiste yo tuve a

Diego en mis brazos hasta que se lo llevaron a la morgue. Yo hablé con la madre y con los hermanos. Porque al final encontramos una madre y unos hermanos. Yo me quedé con los chicos que creían verlo aparecer por los pasillos como un fantasma, a veces protector a veces amenazante. Te odié, ¿sabés? Pero te entendí también. Yo no dejé de amarte. Eso quiero decirte. La mujer se saca los guantes. Las manos son huesudas y están llenas de pequeñas heridas. Le acaricia con esas manos rasposas la cara, mete los dedos en la barba, busca algo de piel debajo del pulóver de cuello alto. El amor, dice la mujer, y amor parece una palabra que se hiciera ceniza en su boca, el amor no resucita. Hay una cueva, hay una piedra corrida, hay un sudario vacío, pero no hay nada más. El amor no resucita. Ni nos resucita. No puedo. No podemos. Aunque, sin embargo, hay algo que sí podemos, algo que no es ese amor pero es amor, es un amor que puede salvarnos. El hombre aprieta la boca y en la presión puede adivinarse la calavera debajo de la piel. Estás loca. Estoy loca pero estoy viva. Mirá, vamos a escuchar otra cosa, dice y busca un disco en su bolso. Siempre pensé que si te gustaba Tom Waits tenía que gustarte Chet Baker. El hombre se arrellana en el asiento del conductor. No sabe bien si la conversación está tomando un curso que le conviene o si se está alejando de todo lo que le interesa. Nunca lo escuché. La mujer saca el disco que estaba puesto, lo guarda en su caja y pone el de ella. Se quedan un rato en silencio. Era trompetista y heroinómano, ¿sabés? Una noche le dieron una paliza terrible. Le arrancaron todos los dientes. No pudo volver a tocar durante tres años, y si lo escuchás cantar te das cuenta de que esa boca no es la de antes. Siempre me conmovió pensar en él, intentando volver a aprender lo que había hecho desde siempre. Sin dientes no se puede colocar la boquilla de la trompeta para soplar. Ser músico era el único sentido de su vida. Durante tres años estuvo en la cuneta, drogándose pero intentando, intentando. Pero después grabó un disco. Este disco. ¿Qué me querés decir? El hombre no quiere o no puede salvarla de decir lo que hay que decir. ¿Que todo tullido tiene su segunda oportunidad? ¿Cuál es nuestra segunda oportunidad si el amor no resucita? No lo sé. La mujer se acomoda como puede para abrazarlo. De todos modos Chet Baker se murió porque estaba tan drogado que confundió la ventana con una puerta y se cayó de su departamento en Ámsterdam. Afuera ya no se ve casi nada. La calefacción de adentro y los alientos de ellos han generado un ambiente algo viciado pero que les da privacidad. Nadie toca la bocina, algunos autos se fueron de la fila intentando caminos que conocen mejor. Pero ellos no saben de atajos. Y tampoco quieren moverse. La nieve, quién sabe, tal vez caiga y resuelva todo. El hombre se deshace del abrazo de ella y se pasa al asiento de atrás. Espera. Sacarse la ropa en ese auto, aunque todavía caliente, es un acto quizás más intrépido que confesar amor después de cinco años de silencio. Pero él se saca la ropa. Es mucha ropa. Bufanda, gorro, campera, pulóver, camiseta de frisa, pantalones, calzoncillos largos, medias, borceguíes. Ella lo mira y sonríe. La vena de la frente le late en una síncopa extraña. Cuando él está desnudo, temblando, tal vez de vergüenza más que de frío, ella se pasa al asiento de atrás y se deja desvestir. No saben bien cómo abrazarse. Pero se abrazan. Se besan. Ella llora. No son lágrimas de emoción. Es como una reacción física. Como si el contacto con el cuerpo de él le provocara una enfermedad. Él no la calma. Rasca

121

en el fondo de ese cuerpo hasta que ya no queda cuerpo. Una esencia, un perfume, unos ruidos que lo mismo podrían ser de animales o de viento arrasando con bosques enteros. Después se quedan quietos. Se tapan los pedazos del cuerpo que pueden con las camperas, los pulóveres, las medias, las bufandas. Pasan minutos o una hora, o quién sabe, tal vez más. Un golpe en el vidrio los asusta. No bajan el vidrio. Escuchan de todos modos que el policía golpea otra vez con la linterna. ¡Ya pueden irse! ¡No aceleren porque la ruta está imposible, pero no se detengan, la nieve está por venir! Se visten en silencio. El hombre se sienta al volante, ella se dedica a volver a poner la misma canción cada vez que termina. *I'm so lucky to be loving you.* Las llantas apenas se agarran contra la ruta. El viento es feroz. Como siempre pero más voraz. Podría llevarse volando el auto y sería un instante. Una luz que de pronto está y después ya no está más. El lago, o esa pastosa extensión marrón y congelada que los lugareños llaman el lago, no está muy lejos de la institución. Llegan más rápido de lo que hubieran querido. Entran la camioneta por la tranquera. Se bajan. Él quiere decirle algo. Ella sabe. Quiere escuchar y quiere taparse las orejas. ¿Qué vas a hacer? La mujer señala la dirección. Muy bien, dice él. Hoy es domingo, dice también. Podría estar diciendo que no es día de trabajar o que los chicos los esperan o podría estar diciendo cualquier cosa como quien habla del tiempo. Pero ella sabe y él sabe. Domingo es el día en que sale el tren. Llega los viernes, se va los domingos. Ella quiere decirle que no se vaya, que no sean estúpidos, quisiera decirle que lo ama, pero que el amor es algo que está muerto y que ella lo ama como se ama a los muertos, que ama al amor y a él como se ama a los muertos, a los que ya nunca van

122

a regresar. Quiere decirle que pueden redimirse amando lo que hacen, amando a otros, amándose en ese amor que no espera retribuciones. Quiere decir muchas cosas pero no dice nada. Él se va a su cuarto y ella se va a la dirección. Se sienta en su sillón que alguna vez fue un sillón para impresionar pero ahora es otra de las cosas frías y vetustas del lugar. Se abre la puerta y podría ser él, pero no es él. Dicen los chicos si va a ir a verlos, que hoy es domingo. Hoy es domingo, sí, dice la mujer. Lo esperamos a... No, dice la mujer, no lo esperamos. Mientras ingresa en la primera de las habitaciones grandes, que lo mismo podría ser de un hospital, de un loquero o de lo que es, una suerte de orfanato para niños delincuentes, escucha la camioneta que se va. Parecía que iba a nevar y al final no nevó, dice un celador. No, no nevó. Yo prefiero que nieve, así por lo menos se ve menos sucio este pueblo sucio. El celador le habla a ella o a nadie. Yo también, dice la mujer, a veces es mejor la nieve que la amenaza de la nieve. Y se sienta en la ronda donde los chicos la están esperando. Tal vez lo noten o tal vez no. La muerte se deja ver sólo ante quienes ya la han visto. Y esos chicos vieron mucha muerte, pero quizá no la reconozcan: la mujer ya los ha infectado de esperanza.

AGRADECIMIENTOS

Una bomba estalló en el centro de mi escritura. Dejé de creer en casi todo y también en mí. Nada del otro mundo, historias así suceden a diario. La cosa es que una bomba estalló en el centro de mi escritura y esta novela quedó destrozada. Pedacitos de ella fueron a buscar cobijo aquí y allá. Así, algunos pedazos fueron cuentos en *La política del detalle* que la Editorial de la Universidad de la Plata generosamente recogió. Un trocito fue a guarecerse a la antología de cuentos *Estilo libre* que publicó Alfaguara. Facundo Abalo y Victoria Torres fueron los enfermeros solícitos y amorosos de esos pedacitos. Gracias.

Después junté los pedacitos y los volví a convertir en novela. Luciano Páez Souza le hizo una lectura hermosa que le salvó la vida, el poeta Nito Fritz le puso las últimas vendas y Paco Taibo II me dio la oportunidad de que llegara a ser leída. Gracias.

Mis hijos Vito y Vladimir y mi hija Vera me devolvieron a la alegría con esa combinación preciosa de paciencia y de intensidad. Gracias.

Muchas gracias.

Esta edición de *La última lectora*,
de Raquel Robles, se terminó de imprimir
en noviembre de 2020 en Talleres Gráficos Elías Porter,
Plaza 1202, Ciudad Autónoma de Buenos Aires, Argentina.
En su composición, realizada en el Departamento de
Integración Digital del FCE MÉXICO por Juliana Avendaño
López y Guillermo Carmona Vargas, se utilizaron
tipos New Aster LT Std. La edición, al cuidado
de Rubén Hurtado López, consta
de 1.500 ejemplares.